Kees Kooman

De woekerpolisaffaire

Hoe miljoenen Nederlanders in de val zijn gelokt en
hoe ze de schade kunnen beperken

Nieuw Amsterdam *Uitgevers*

Wien de goden verderven willen, slaan zij met blindheid
– Sophocles, Grieks filosoof en dramaturg

Inhoud

Woekerpolissen in vogelvlucht

1956

Verzekeringsmaatschappij De Waerdye (later Stad Rotterdam) introduceert de eerste individuele verzekering, gekoppeld aan een belegging. Het betreft een zogeheten 'fractieverzekering', waarbij units van beleggingsfonds Robeco worden aangekocht. Van enige flexibiliteit is geen sprake.

1980-1990

Eerste 'flexibele' (zogeheten *universal life*) beleggingsverzekeringen komen, aanvankelijk schoorvoetend, op de markt. Zwolsche Algemeene (voorheen Abbey Leven) is een van de voorlopers met het Verzekerd Investerings Plan, door medewerkers van Zwolsche Algemeene (nu Allianz) 'vipjes' genoemd. Alle beleggingsrisico komt te liggen bij de consument.

jaren 90

Beleggingsverzekeringen worden een massaproduct, onder meer door sterk toenemende concurrentie tussen verzekeraars, banken en vermogensbeheerders. Door steeds geavanceerdere automatisering kunnen polissen 'op maat' worden geboden en kan worden voldaan aan individuele wensen.

1992

Nieuwe fiscale regels, bekend als 'Brede herwaardering', maken beleggingsverzekeringen nog aantrekkelijker. In de loop der jaren ontstaan 1200 verschillende varianten.

1994

Dankzij de Inspecteur der Belastingen wordt het voor werknemers aantrekkelijk geld opzij te leggen 'voor later' bij de zogeheten spaarloonregelingen. Verzekeringsmaatschappijen verdringen elkaar op de markt met op het oog aantrekkelijke, maar dure producten.

20 november 1995

Hoogleraar Arnoud Boot waarschuwt na onderzoek door de Universiteit van Amsterdam voor de zeer hoge verborgen kosten van beleggingspolissen. In dit jaar raden ook consumentenorganisaties de aankoop van de 'veel te dure producten' ten stelligste af.

13 september 1999

Het ministerie van Financiën besluit tot herziening van de fiscale regels betreffende kapitaal- en beleggingsverzekeringen. Polissen, na 13 september 1999 aangeschaft en niet gekoppeld aan een hypotheek, zijn niet meer aftrekbaar en worden voortaan belast in box 3.

1995-2005

In deze periode worden meer dan 6 miljoen 'woekerpolissen' verkocht, 2300 per werkdag. Waar in 1995 nog sprake is van een totale inleg aan premies van 650 miljoen gulden, is dat bedrag in 2000 al vervijfvoudigd.

maart 2002

Eerste uitzending *Tros Radar* over leasecontracten. Veel van de 700.000 polishouders bleven na de beurscrash in 2001 met een restschuld achter.

27 oktober 2003

AFM stelt na onderzoek naar leasecontracten vast dat aanbieders in één of meer aspecten hun zorgplicht niet of onvoldoende hebben nageleefd.

23 juni 2005
Claimstichtingen en Dexia ondertekenen de 'Duisenbergregeling', op grond waarvan gedupeerden hun restschuld deels krijgen kwijtgescholden.

27 juni 2006
De Wet op het financieel toezicht, die onder meer de zorgplicht regelt van de 'producent', wordt bekrachtigd door de Tweede Kamer.

zomer 2006
Verbond van Verzekeraars vraagt voormalig ombudsman en minister van Justitie Job de Ruiter voorzitter te worden van de 'commissie Transparantie Beleggingsverzekeringen'.

6 november 2006
Eerste programma *Tros Radar* met woekerpolissen in de hoofdrol. Naamgever Antoinette Hertsenberg is presentatrice. In deze maand worden ook de consumentenorganisaties Verliespolis en Woekerpolis Claim opgericht.

20 december 2006
Commissie-De Ruiter brengt rapport uit over onderzoek beleggingsverzekeringen en adviseert over informatievoorziening bij toekomstige offertes.

1 januari 2007
Wet op het financieel toezicht (Wft) treedt in werking.

25 januari 2007
Gerechtshof Amsterdam verklaart Duisenbergregeling alge-

meen bindend voor gedupeerden van leasecontracten.

8 februari 2007
De vaste kamercommissie voor Financiën besluit na een debat met minister Gerrit Zalm tot onafhankelijk feitenonderzoek naar beleggingsverzekeringen.

maart 2007
Belangrijkste gesprekspartners Verbond van Verzekeraars, stichting Verliespolis, ministerie van Financiën en ombudsman Jan Wolter Wabeke bereiken overeenstemming over aanpak problematiek.

juli 2007
Feitenonderzoek 'woekerpolissen' wordt door de nieuwe minister van Financiën Wouter Bos toegekend aan het IFO, Instituut voor Financieel Onderzoek.

half december 2007
'Reparatievergadering' IFO, Verbond van Verzekeraars en ministerie van Financiën.

4 maart 2008
Jan Wolter Wabeke publiceert zijn 'aanbeveling', wat zal leiden tot de zogeheten Wabekenorm: kosten mogen in de meeste gevallen niet meer bedragen dan jaarlijks 2,5 procent, te berekenen over de opgebouwde waarde van de polis. Exclusief dekking overlijdensrisicoverzekering.

9 september 2008
Eerste schikking claimstichtingen Verliespolis en Woekerpolis Claim met Delta Lloyd, dat 300 miljoen voor schadevergoeding uittrekt.

9 oktober 2008
Feitenonderzoek, begonnen door IFO en afgemaakt door AFM (Autoriteit Financiële Markten) in samenwerking met bureau MoneyView, wordt gepresenteerd.

18 januari 2010
Uitzending *Tros Radar* waarin wordt aangetoond dat de 'compensaties' van de verzekeraars weinig voorstellen en in de toekomst vooral door de polishouders zelf zullen worden opgebracht.

Voorwoord

Beleggingsverzekeringen, getverderrie, die horen toch in een donkere kast thuis? Dat is wat de meeste mensen denken. Je kijkt er heel even naar bij het afsluiten (als de hypotheek maar in orde komt), en zonder echtscheiding of vroegtijdig overlijden pas weer een jaar of twintig, dertig later. Op het moment waarop het beloofde goudmijntje gaat uitkeren. Een woekerpolis kun je omschrijven als een langzaam werkend gif dat er jaren over doet om zijn dodelijke kracht te tonen. Uit dit boek zal blijken dat verzekeraars hun handelsmerk – vertrouwen 'verkopen' in de toekomst – willens en wetens te grabbel hebben gegooid. Door bizarre administratiekosten te rekenen, of te goochelen met zogeheten sterftetafels, grafieken op grond van de gemiddelde levensverwachting in Nederland. Er zijn voorbeelden bekend van 500 procent opslag vergeleken met marktconforme premies bij overlijdensrisicoverzekeringen. De grote bedrijven gaan ervan uit dat de zonde is afgekocht met de 2,5 miljard euro die ze nu hebben uitgetrokken voor compensatie. De meeste directeuren zijn er lang van uitgegaan dat nooit sprake is geweest van zonde en dat de schikkingen zijn 'afgedwongen door de publiciteit en de politiek'.

Als u grofweg tussen 1980 en 2008 een verzekering hebt afgesloten op basis van beleggen en het geen garantieproduct betreft, is de kans groot dat u beschikt over een woekerpolis. Het kunnen ook pensioenen zijn, spaarloonregelingen, lijfrentes. 'Kleine' en 'grote' vergiftigde polissen: het beloofde goudmijntje blijkt ingestort, alle mooie beloftes bedolven onder het puin van de valse hoop.

De veelal verborgen kosten konden door gebrek aan adequaat toezicht oplopen tot 50 procent over de inleg, waardoor de voorgespiegelde 'historische rendementen' nooit ofte nimmer realistisch waren. De offertes die u ondertekende, waren opgesteld door fantasten of jokkebrokken.

De grootste problemen van de woekerpolissen worden verwacht bij beleggingshypotheken en pensioenen in een 'woekerjasje'. Op termijn, want de echte schade (in de vorm van een onverwacht grote restschuld) zal dus pas blijken aan het einde van de looptijd van uw woekerpolis. Sommige hypotheekexperts voorspellen een 'majeure crisis' die kan leiden tot het instorten van de huizenmarkt.

Veel verzekeraars, zo kunnen sommige onafhankelijke deskundigen wel bevestigen, hebben inmiddels hun leven gebeterd – mede verplicht door de nieuwe Wet financieel toezicht – met goedkopere en betere producten. Sinds de inwerkingtreding van die wet bestaat er transparantie in overtreffende trap: de toekomstige rendementen op uw jaaroverzicht maken de doolhof nog ingewikkelder, maar deze informatie behoedt de aanbieders voor de allergrootste calamiteiten. Wat moet je met prognoses tussen 25 procent in de min en 8 procent in de plus? Dat hadden de aanbieders bij uw eerste offerte moeten vertellen, waarna u zeer waarschijnlijk had gezegd: dank u voor de moeite, ik heb liever nog een kopje koffie.

Dit boek is bestemd voor de consument. Wat kunnen de bezitters van dergelijke producten het beste doen, nu blijkt dat de compensaties gebaseerd op de zogeheten Wabekenorm (vernoemd naar de ombudsman van het klachteninstituut Kifid) in de toekomst voornamelijk betaald zullen worden door de bedrogen klant zelf? U krijgt veel tips, maar zult versteld staan van de trucs, uitgevoerd door behendige boekhoudkundige goochelaars. Die lijken maar in één ding geïnteresseerd: hoeveel kosten kunnen we verbergen, juridisch dichtgetimmerd, zodat we zo veel mogelijk geld uit de zakken van de argeloze consument kunnen kloppen?

Daar zijn ze voortreffelijk in geslaagd, blijkens de voorzichtige schatting van econoom Arnoud Boot ('Schade minstens 20 miljard: 20.000.000.000 euro'), die trouwens zonder terughoudendheid spreekt van 'diefstal'. Dat lijkt mij nog een eufemisme, als je ziet welke constructies door de verzekeraars werden toegepast om geld te laten stromen als water, nou ja, hun kant op dan. U zult niet geloven welke taferelen zich afspeelden bij de onderhandelingen die moesten leiden tot een redelijke schadeloosstelling voor de bedrogen consument. En hoe verzekeraars zich in alle bochten wrongen om onderzoekers, door het parlement aan het werk gezet, het werk onmogelijk te maken.

Ik sprak voor dit boek met hoge ministeriële ambtenaren, die het alleen maar 'slim' vonden dat de verzekeraars maximaal gebruik hebben gemaakt van de fiscale regels. Deze regels zijn aanjagers geweest van de stormloop op deze foute producten. Je hoeft in Nederland slechts te suggereren dat je belastingaftrek kunt genereren, en je wordt meteen onder de voet gelopen. En Nederlanders houden wel van een gokje, vergeleken met de inwoners van onze buurlanden. U begrijpt: de combinatie van beleggen en verzekeren met gebruikmaking van fiscaal lokaas had een onweerstaanbare aantrekkingskracht.

De woekerpolisaffaire past feilloos in een tijdsbeeld waar meer winst maken belangrijker werd dan de klant dienen. Die klant werd middel en geen doel. Het heeft geleid tot schaamteloos graaien ten koste van de argeloze consument. Die zou misschien wel in opstand moeten komen, daarbij vanzelfsprekend geleid door een parlement dat zichzelf serieus neemt en onafhankelijk opereert. Er komen deskundigen aan het woord die het heel realistisch vinden dat de rekening wordt vereffend. Hoogleraar Cees Sterks: 'In een beschaafd land verwacht je een ingrijpmechanisme waarmee je zulke praktijken kunt voorkomen. De woekerpolisaffaire kan macro-economische effecten hebben. Als je de werkelijke schade moet gaan compenseren, zouden grote spelers failliet kunnen gaan. De ramp is dan niet te overzien.'

Volgens expert Peter Post (MoneyView) liggen toezichthouders als de AFM en de overheid 'in een spagaat' om het systeem overeind te houden. 'Eigenlijk moet je het schandaal een beetje beperkt zien te houden. Maar het kan niet anders dan dat er schoon schip wordt gemaakt.'

Hoe is het mogelijk dat Nederlanders massaal in de val van verzekeraars en tussenpersonen zijn gelopen? De consument is niet zonder meer vrij te pleiten en dat geldt ook voor de overheid, die koketteerde met fiscaal lokaas. Intermediairs maakten er handig gebruik van. Op kosten van de belastingdienst sparen, wie wil dat niet? Maar er werd niet bij verteld dat de torenhoge kosten de beleggingsresultaten nooit konden bijbenen. En wie de premie tussentijds heeft stopgezet, kan op de einddatum nog weleens geconfronteerd worden met een saldo dicht bij nul. Want de bewakers van uw appeltje voor de dorst doen hun werk natuurlijk niet voor niets. En zo kan het appeltje gemakkelijk veranderen in een zure bom.

Kees Kooman,
maart 2010

1 De vrije markt

'Laat de oplossing van de veel te dure beleggingsverzekeringen maar over aan de vrije markt,' zei de toenmalige Nederlandse minister van Financiën Gerrit Zalm toen het probleem van de woekerpolissen voor het eerst boven water kwam in 1995. Maar, zo toont hoogleraar Cees Sterks aan: in een concurrentiemodel zonder toezicht kan die 'vrije markt' leiden tot uitwassen zoals de woekerpolissen. 'Dan verliest de eerlijke aanbieder. Die is per definitie slechter af dan de malafide aanbieder. Je buit de klanten als het ware uit. Je gaat steeds meer liegen.'

U weet het misschien niet, maar de kans dat u in het bezit bent van een woekerpolis is ongeveer 60 procent. Volgens een opgave van De Nederlandsche Bank stond de teller in 2005 op 7,2 miljoen uitstaande beleggingsverzekeringen, pensioencontracten van dit type niet meegerekend. Een kleine 5 miljoen huishoudens hebben er één of meer. De schade per polis varieert van enkele duizenden euro's tot een veelvoud daarvan, voornamelijk veroorzaakt door veel te hoge kosten. De waarde van de beleggingen, in de meeste gevallen bij eigen fondsen van de maatschappijen, blijft bovendien ver achter bij de veel te rooskleurige prognoses.

Maak een grote prop van de schitterende voorbeeldkapitalen die u destijds als een mak schaap deden besluiten een handtekening te zetten onder de offerte. En besluit na het lezen van dit boek wat u het beste kunt doen: de premie stopzetten van uw 'appeltje voor de dorst', uw verlies nemen of misschien wel een advocaat zoeken en juridisch uw recht proberen te halen.

In de loop van 2010 (in sommige gevallen 2011 of later) krijgen de bezitters van beleggingspolissen bericht van hun verzekeringsmaatschappij of ze recht hebben op compensatie en in welke mate. Wie de getallen van de afgesproken schikkingen bij elkaar optelt en deelt door het enorme aantal beleggingspolissen, komt uit op ontluisterend lage bedragen. Hooguit 500 euro, terwijl vaak een veelvoud daarvan is verdampt. Door tegenvallende resultaten op de beurzen, zullen de aanbieders zeggen. Voorspelbaar als zij zijn zullen de maatschappijen er de komende tijd ongetwijfeld op hameren dat veel consumenten helemaal geen recht hebben op schadevergoeding, waardoor de 'echte gedupeerden' wel redelijk gecompenseerd kunnen worden.

In dit boek richten we de schijnwerper op alle woekerproducten, gekoppeld aan beleggingsverzekeringen. Het kunnen koopsompolissen zijn (vaak verkocht in combinatie met hypotheken), lijfrentepolissen, wel of niet voortvloeiend uit een spaarloonregeling, en pensioenen. Als u ergens in een la, waarschijnlijk diep weggeborgen, een verzekering hebt liggen waarin het woord 'beleggen' valt, beschikt u vrijwel zeker over een woekerpolis. Misschien zonder dat u het zelf weet, bent u verleid om 'beurshandelaar' te worden. U speculeerde niet alleen, maar betaalde inmiddels zoveel, grotendeels verborgen, kosten dat de waarde van uw polis wel voor een belangrijk deel móést verdampen. Aan de hand van praktijkvoorbeelden zal in dit boek de zo populair geworden (woeker)polis worden 'ontmaskerd' en nader verklaard.

Belangrijk om te weten en te begrijpen wat u te wachten staat (en zonder te vervallen in het onbegrijpelijke abracadabra, zo eigen aan het vakjargon van de verzekeraars waarmee ze iedere klant van harte het bos insturen) is dat bij deze producten gebruik is gemaakt van het zogeheten *execution only*, een term die pas later gemeengoed zou worden in de financiële wereld. Het komt er daarbij op neer dat de aanbieder geen zorgplicht heeft en de verantwoordelijkheid om te beleggen geheel bij de consument ligt. De formule mondde uit in een daverend succes waarvoor u als consument de prijs betaalt. Want de concurrentiestrijd tussen de vele verzekeraars die in de jaren tachtig en negentig opereerden op de Nederlandse markt – inmiddels teruggebracht tot een twintigtal grote 'spelers' – leidde alleen maar tot steeds hogere provisies voor de tussenpersonen. En daarvoor hebt u een hoge prijs betaald in de vorm van tientallen procenten aan kosten, soms de eerste jaren verrekend en ook wel gedurende de gehele looptijd van de (woeker)polis.

Meer dan 1200 verschillende variaties zijn gedurende de laatste twee decennia in omloop gebracht, waarbij niet zelden de klant alleen al door de naam op het verkeerde been werd gezet, zoals bij de producten die de suggestie van veilig sparen wekten: AandelenSpaarPlan (Zilveren Kruis, nu Achmea), Spaarbeurs (van Aegon) en ABC Spaarplan (van Amev, nu ASR Fortis). Een overzicht van beleggingsverzekeringen kunt u vinden op de website van het Klachteninstituut Kifid: www.kifid.nl.

'Onwettige winst verkregen door misbruik te maken van iemand anders nood en verlegenheid,' geeft de Dikke Van Dale als betekenis van het woord 'woekeren', dat nooit meer los kan worden gezien van deze polissen. Zelfs al betaalt u per jaar minder dan 2 procent over de waarde beneden de zogeheten Wabekenorm (uitgangspunt voor de schikkingen aan de hand waarvan de verzekeringsmaatschappijen u een voorstel ter compensatie zullen doen toekomen, waarover later veel meer), dan nog is er in de meeste gevallen sprake van een overmatig duur contract. Zeer waarschijnlijk was u met sparen op een ouderwetse bankrekening veel beter af geweest. En meestal was u ook beter af geweest door uw geld in een oude sok te stoppen. Nu zijn alleen de uitvoerende bedrijven en de tussenpersonen door wie u zich liet verleiden er financieel beter van geworden. Ga maar eens kijken naar de weelderige hoofdkantoren op de Amsterdamse Zuidas of het Centraal Station van Rotterdam.

Henk van Olphen woont in Oldeberkoop, in wat je een pannekoekenhuis mag noemen. Hij is voormalig directeur van de kleinste bank van Nederland, Bank Bercoop. Ingehaald en opgeslokt door de tijdgeest. De Friesland Bank betaalde 12 miljoen euro voor de overname. 'Door de verstikkende regelgeving hebben wij het loodje gelegd,' zegt hij, eerder berustend dan teleurgesteld. 'Om tegemoet te komen aan de bureaucratische eisen van De Nederlandsche Bank moesten we een specialist in dienst nemen, een kostenpost van zeventig tot tachtig mille per jaar. En vervolgens werden dermate zwartgallige scenario's op onze solvabiliteit losgelaten dat we als kleine speler onmogelijk konden voldoen aan de eisen. Wij zijn door De Nederlandsche Bank min of meer gedwongen om ons aan te sluiten bij de Friesland Bank. Het is erg lastig voor de toezichthouder om een klein bankje in de gaten te houden, dat langs dezelfde lat wordt gemeten als ING.'

'Olm', zoals hij wordt genoemd door vrienden en bekenden, heeft met lede ogen de sector, zijn sector, in recordvaart zien veranderen, en het bijbehorende imago zien ontstaan van voornamelijk mannen in onberispelijk kostuum, met stropdas.

Bij Olm 'zakt de broek af' als hij zijn eerste kennismaking beschrijft met wat inmiddels woekerpolissen zijn gaan heten. 'Die producten waren nauwelijks te begrijpen voor de mensen die ze moesten verkopen. Dat is natuurlijk absurd.' Clickpolissen, klimpolissen, of hoe ze allemaal heten, je verkoopt toch ook geen auto waarvan je niet weet hoe de versnelling werkt? In de ogen van Van Olphen zijn verzekeren en beleggen twee totaal verschillende werelden, die gescheiden zouden moeten blijven. 'Ik heb die beleggingsverzekeringen nooit geadviseerd. Nooit!' Om hypotheken en pensioenen af te dekken, vertrouw je op de zogeheten gemengde verzekeringen: sparen en risico's afdekken tegelijkertijd. 'Zorgen dat moeders bij onverhoopt overlijden niet onverzorgd achterblijft. Zo simpel is het. Bij een ouderwetse levensverzekering met een prognose van een ton, waarvan 75 mille gegarandeerd, kom je op de einddatum misschien op 80.000 euro uit. Dat is heel wat anders dan rekenen op een ton en uiteindelijk nog geen 30.000 euro ontvangen, zoals dat bij woekerpolissen kan gebeuren.'

Het verval begon volgens Olm bij 'de mannen van de RVS', die na gezinsuitbreiding als de baby een maand oud was, aanbelden om een begrafenisverzekering te slijten. 'Die mannen moesten ook hun boterham verdienen.' Het waren de voorlopers van de adviseurs die de lawine van beleggingsverzekeringen op gang brachten.

'Ik heb ooit een jongeman aangenomen die deze producten verkocht bij een callcenter. Op maandagmorgen kreeg hij een lijst die hij die week moest afwerken. Hij zei: "Olm, dit wil ik niet meer. Ik durf die mensen niet in de ogen te kijken, omdat ik iets verkoop wat ze helemaal niet nodig hebben. Ik beur wel een mooie provisie, maar ik doe het niet meer." Op verjaardagen ging het vanaf zeker moment alleen nog maar over beleggen en aandelen. Piet vertelde over een polis waar veel muziek in zat en dan belde Gerrit met dezelfde tussenpersoon en die zei natuurlijk: "Meneer, we kunnen het zo voor u regelen." Er volgden schitterende prognoses ins Blaue hinein. Je kreeg begin- en eindresultaat voorgeschoteld, maar wat ertussenin gebeurde zag je niet.'

Met de inmiddels ingeburgerde spaarloonregelingen gebeurde hetzelfde, aangemoedigd door de fiscale voordelen, waardoor je een dief van je eigen portemonnee zou zijn wanneer je niet meedeed. De ex-directeur denkt met heimwee terug aan de oude agrariër die bij het loket van de bank in Oldeberkoop zijn polis kwam innen. Op z'n Stellingwerfs, een dialect uit de omgeving. "'Fiefduusend golden, Olm, toen ik 'm afsleut dacht ik dat ik er ooit een huus voor kon kopen." Nu kon hij er niet eens een auto voor aanschaffen. De boer had dertig jaar premie betaald, bedragjes van niets volgens de huidige maatstaven. Maar hij kreeg tenminste het bedrag dat vermeld stond in de offerte en dat kun je onmogelijk beweren over de huidige generatie beleggingspolissen.'

Nog veel merkwaardiger dan het schijnbare gemak waarmee banken en verzekeraars hun trouwe klanten opscheepten met waardeloze polissen, was de desinteresse van de verantwoordelijke politici. Ombudsman Jan Wolter Wabeke noemt de nieuwe producten in 2009 in het magazine *f.inc* een 'speeltje binnen de bank' bedacht door wiskundige bollebozen, 'een klein groepje actuarissen en econometristen'. De eerste waarschuwingen over de onbegrijpelijkheid van de polissen konden al worden gehoord in 1995. Hoogleraar Ondernemingsfinanciering en Financiële Markten Arnoud W.A. Boot deed onderzoek naar beleggingsverzekeringen, met als resultaat een rapport met de veelzeggende titel: *Koopsommen en premiestortingen een goudmijn: maar voor wie?* De subtitel sprak ook boekdelen: *De consument betaalt, de overheid kijkt toe en de verzekeringsmaatschappij is de lachende derde.* Was getekend: Arnoud Boot, 20 november 1995.

Gerrit Zalm, toenmalig minister van Financiën, reageerde na Kamervragen laconiek. Zijn commentaar kwam erop neer: ga rustig slapen, lieve mensen, bij deze producten is sprake van hevige concurrentie. Laat de oplossing maar over aan de marktwerking. Hij had goed geluisterd naar Milton Friedman, Nobelprijswinnaar economie in 1976, de Amerikaan die Margaret Thatcher in Groot-Brittannië en Ronald Reagan in hun eigen land inspireerde om de vrije markt niets in de weg te leggen.

Schrijver Naomi Klein toont in haar bestseller *De Shockdoctrine* aan welke excessen kunnen ontstaan wanneer de theorie van Friedman rigoureus in de praktijk wordt toegepast. Zij laat op fraaie wijze zien hoe het 'grote graaien' overal ter wereld gemeengoed werd dankzij de moderne economische wetten, ten koste van de grote massa, die werd aangemoedigd tot kopen, kopen en nog eens kopen.

Cees Sterks, hoogleraar Economie van de Publieke Sector in Groningen, stelt dat de marktwerking bij de beleggingsverzekeringen ongewenste effecten heeft gehad. 'In mijn liberale filosofie moet je de markt inderdaad vrijlaten, als het enigszins kan. Maar in dit geval kan de marktwerking ertoe leiden dat je elkaar beconcurreert door nog sléchtere producten aan te bieden dan de ander. In zo'n situatie moet de overheid ingrijpen, of een instantie als de NMa, de Mededingingsautoriteit. In een concurrentiemodel zonder toezicht en transparantie verliest de eerlijke aanbieder. Die is per definitie slechter af dan de malafide aanbieder. Als die de rendementen waarheidsgetrouw voorrekent, klopt de consument aan bij de concurrent die een procentpunt meer belooft. Je buit de klanten nog meer uit en gaat steeds meer liegen. In een beschaafd land verwacht je een ingrijpmechanisme waarmee je zulke praktijken kunt voorkomen.'

De tussenpersonen keken volgens Sterks alleen maar naar hun provisie. 'Zij wisten heus wel wat ze deden. De tussenpersonen hebben op school sommetjes geleerd en konden weten dat hun klanten onverstandige producten kochten. Maar hun provisie was zo hoog dat ze daarvoor graag hun moraliteit aan de kant zetten. Maar het gaat hier niet om de tussenpersoon, die slechts intermediair is tussen vraag en aanbod. Ik kan me voorstellen dat de verzekeraars graag de zwartepiet aan een ander toespelen, maar zij hebben deze producten op de markt gebracht en willens en wetens proberen te verkopen. Ik vind dat immoreel.'

Sterks is zelf ooit benaderd om lezingen te geven op bijeenkomsten waar leasecontracten werden verkocht, polissen waarbij je geld leende om te kunnen beleggen. Een groot succes aanvankelijk, maar een enorme flop (ten koste van de kopers) toen de beurzen begonnen in te zakken vanaf het jaar 2000. 'Ze wilden een hoogleraar laten opdraven om nog meer vertrouwen te wekken. De bedoeling was om status te verwerven door gebruik te maken van mijn onafhankelijke positie. Daar boden ze veel geld voor. Allerlei zintuigen schreeuwden: niet doen!'

Met de komst van vele rechtszaken sinds 2002 over leaseproducten (zie hoofdstuk 7), waar veel consumenten bleven zitten met een restschuld, begon de interesse van politiek en media voor de (wan)praktijken van verzekeraars. Vergeleken met de woekerpolissen is de affaire met de leaseverzekeringen, die in 2005 leidde tot compensatie voor gedupeerden bij de zogeheten Duisenbergregeling, kinderspel. De vele rechtszaken en schikkingen hebben daar naar schatting al minstens twee miljard gekost. Alle reden, volgens Cees Sterks, voor de overheid om de schade deze keer zo beperkt mogelijk te houden. 'De woekerpolisaffaire kan macro-economische effecten hebben. Alle verlies van de beurzen ligt bij de klanten. De provisie is weg. Als je de werkelijke schade moet gaan compenseren, zouden grote spelers failliet kunnen gaan. De ramp is dan niet te overzien.'

Anton Weenink, vooraanstaand bestuurslid van de Vereniging Consument & Geldzaken, staat nergens meer verbaasd van anno 2010. Namens de Consumentenbond verrichtte hij tussen 1985 en 1994 lobbywerk in Brussel in de aanloop naar de eenwording van Europa. Hij zag daar, en ook op het Haagse Binnenhof, hoe machtig de lobby is van verzekeraars en banken, waar de laatste volgens hem de regie gaandeweg hebben overgenomen. Veel kleinere verzekeraars zijn gefuseerd met grotere en steeds meer banken (voorbeelden: ABN Amro en ING) hebben assurantiebedrijven ingelijfd. Weenink stelt dat het Verbond van Verzekeraars, gehuisvest in Den Haag op een steenworp afstand van Aegon, één grote lobbyfabriek is. Nu met banken en verzekeraars als 'opdrachtgever'. Maar zoals het nu eenmaal gaat bij lobbyen: probeer maar eens te bewijzen dat maatregelen en wetten worden beïnvloed door bijeenkomsten met een goed glas wijn.

'De lobby bestaat al heel lang,' zegt Weenink in zijn Zoetermeerse kantoor, 'en die leidde er bijvoorbeeld toe dat verzekeringsproducten aanvankelijk fiscaal werden bevoordeeld boven bancaire producten. De inleg van koopsompolissen en lijfrenteverzekeringen was vaak grotendeels aftrekbaar. In de loop der jaren zijn de belastingregels flink aangescherpt, ten nadele van de consument.' Er was keus uit garantieproducten, waarbij overigens ook hoge kosten in rekening werden gebracht, en de volstrekt onvoorspelbare beleggingsverzekeringen die vooral sedert de jaren negentig als zoete broodjes over de toonbank gingen. Op het eerste oog, en vooral bij bestudering van de rooskleurige rendementen, zagen deze alternatieven er ook inderdaad aantrekkelijk uit. Wat nou 3 of 4 procent renderen per jaar, wanneer dat ook op kon lopen tot 10 of 11 procent. Je was een dief van je portemonnee als je niet meedeed aan deze rally die geen verliezers leek te kennen.

Omdat de rendementen te mooi leken om waar te zijn startte Consument & Geldzaken eind jaren negentig een vergelijkend warenonderzoek. De vereniging maakte daarbij dankbaar gebruik van experts die toegang hadden tot geheime gegevens van maatschappijen. 'Maar zelfs die konden er niet achter komen wat nu precies de kosteninhoudingen waren,' zegt Weenink. Er kwam steeds meer steun voor het kritische verhaal van econoom Arnoud Boot. Onderzoeksbureau Nyfer uit Breukelen concludeerde tussen 1996 en 2000 in rapporten over de beleggingsfondsen steeds hetzelfde: het was niet te achterhalen wat precies onder kosten werd verstaan. Consumenten die sinds 1 januari 2008 verplicht een jaaropgave krijgen van hun financiële dienstverlener en moeite willen doen om door de bomen het bos te zien, zullen ongeveer begrijpen waarom dat zo moeilijk was. De kosten bestaan uit premies overlijdensrisicodekking, arbeidsongeschiktheidsdekking, verzekerd garantiebedrag, eerste en doorlopende kosten, kosten bemiddelaar of verzekeringsadviseur, aankoop-, verkoop- en beheerkosten, incassoprovisie, switchkosten (bent u er nog?), afkoopkosten polis, volumebonus tussenpersoon, spreads tussen aan- en verkoopkosten. En ga zo maar door.

Weeninks vereniging laat er op de website www.beleggingspolisclaim.nl geen twijfel over bestaan wat de voetangel is bij de met miljoenen op de markt gedumpte woekerpolissen: 'Het onthouden van wezenlijke informatie over de inhouding van verborgen kosten. Hierdoor is de consument de mogelijkheid onthouden om een eerlijke afweging te kunnen maken over alle voor- en nadelen van hun beleggingsverzekering.' Dat dus achteraf beschouwd. Weenink benadrukt dat de compensatie op basis van de zogeheten Wabekenorm (hierover later meer) wat zijn vereniging betreft niet 'algemeen bindend' mag worden verklaard, opdat ontevreden consumenten de mogelijkheid behouden zelf juridisch in actie te komen.

Het bleef in de vorige eeuw oorverdovend stil na de publicatie van de bevindingen van Boot, Nyfer en Consument & Geldzaken. De meeste media vonden het een veel te saai onderwerp. En trouwens: wie zijn billen brandt, moet op de blaren zitten. De consument zocht het maar uit. 'Zelfs de Consumentenbond riep dat de klant mondig genoeg was. Tot dan gebruikelijke subsidies voor consumentenorganisaties van de overheid, overigens peanuts, waren niet meer nodig,' aldus Anton Weenink.

De bond deed wel onderzoeken naar de beste kinderfietsen, veilig speelgoed en de allernieuwste pampers, maar nauwelijks naar die vermaledijde beleggingsverzekeringen. Daarbij moet worden aangetekend dat deze producten zelfs voor de allerslimste actuarissen nauwelijks te begrijpen waren. Het ministerie van Economische Zaken zag er ook het nut niet van in de stormbal te hijsen. Weenink: 'We hadden in 1997 twee bijeenkomsten met hoge ambtenaren, waarbij we betoogden dat de markt voor financiële producten niet werkte. We zeiden dat de consument deze producten niet begreep, vooral de kostenopbouw niet, er was iets volkomen fout aan het gaan. De leasecontracten, waarbij met geleend geld wordt belegd, waren heel populair en er was al volop sprake van koppelverkoop – hypotheek met de verplichte aankoop van een lading overbodige en peperdure verzekeringen –, een praktijk waarover in 2009 DSB-eigenaar Dirk Scheringa is gestruikeld. De ambtenaren keken ons aan of ze water zagen branden. Ze waren het niet eens met onze stellingen. Ze wilden het niet snappen.'

Er was maar één ding dat telde: de marktwerking. Weenink: 'Daar is het fout gegaan. Het ministerie van Economische Zaken had in de jaren zeventig de bescherming van de consument als taak gekregen. Maar dat consumentenbeleid was nog maar net opgetuigd, toen de nieuwe economische theorieën werden omarmd en de juist benoemde directie tot de grond toe werd afgebroken. De verantwoordelijke ambtenaren hadden het al erg moeilijk, want Economische Zaken was per definitie pro ondernemers. Die afdeling Consumentenbeleid was van meet af aan een vreemde eend in de bijt en werd dan ook van harte om zeep geholpen.'

Hij geeft nog een kenmerkend voorbeeld over de wijze waarop de overheid omging met de consument. 'De toenmalige toezichthouder Pensioen- en Verzekeringskamer (tegenwoordig onderdeel van De Nederlandsche Bank) deed onderzoek naar de werking van de RIAV, een naar Europese richtlijn verplichte Regeling Informatieverstrekking Aan Verzekeringsnemers, de polishouders. Mogelijk ten gevolge van goed lobbywerk in Den Haag was die heel beperkt ingevuld in Nederland, in tegenstelling tot bijvoorbeeld in Duitsland en Engeland. Expliciete regels betreffende informatieverstrekking over kosteninhouding ontbraken in elk geval.' De conclusie was duidelijk volgens Weenink: de verzekeraars lapten de regels aan hun laars en de toezichthouder wist dat. 'De opstellers van het rapport waarschuwden dat ten gevolge van de slechte informatie de verzekeringsnemers hun polis door de rechter konden laten vernietigen op grond van dwaling. Ze verwezen expliciet naar de bekendste arresten van de Hoge Raad over dwaling.'

Als polissen worden vernietigd vanwege dwaling is de schade niet te overzien. Dan zouden verzekeraars niet alleen alle premies moeten terugbetalen, maar ook de wettelijke rente over de verstreken periode. Het zou leiden tot een bombardement van faillissementen. 'Naar mijn mening is hier inderdaad sprake van grootschalige dwaling. Het gaat verder dan misleiding of onvoldoende zorgplicht. Als alle polissen worden vernietigd praat je over een schadevergoeding van vijftig miljard en dat is een heel voorzichtige schatting.' Dat is ongeveer 25 keer zo veel als de verzekeraars tot dusver hebben uitgetrokken ter compensatie. 'Het zou tot zeer grote problemen leiden,' zegt Weenink, 'maar de verzekeraars hebben dat bedrag ook ooit binnengehaald.'

Andere onafhankelijke experts bevestigen de mening van Weenink. De toenmalige toezichthouder heeft het verschrikkelijk laten afweten. De Pensioenkamer, later geannexeerd door De Nederlandsche Bank, keek vooral naar de balans van de aanbieders bij het beoordelen van de rotte appelen. Hoe meer kosteninhouding, hoe meer winst. Met andere woorden: hoe rotter (voor de consument) hoe beter voor verzekeraars, banken en hun aandeelhouders. Volgens diezelfde deskundigen werd 'heus wel' ingezien dat de problemen zich ooit zouden openbaren. Bij congressen en lezingen heeft Peter Post van het gerenommeerde Amsterdamse onderzoeksbureau MoneyView al in de jaren negentig voorspeld dat de affaire ooit 'in koeien van letters' op de voorpagina's van de landelijke dagbladen zou komen. Alleen voor de vorm werden flauwe, ondoorzichtige regeltjes opgesteld voor de nieuwe verzekeringsproducten. Post: 'Het schandaal móést ooit openbaar worden. Dat kon niet uitblijven.'

Tot nu toe zijn de rechters de grote maatschappijen gunstig gezind. Collectieve procedures leiden hoe dan ook niet tot uitbetaling van schadevergoedingen. De Nederlandse rechter wil individuele uitspraken doen waarbij de vele zittingen omtrent leasecontracten (zie hoofdstuk 7) in elk geval een nasleep beloven. De eerste uitspraken daarover dateren van tien jaar geleden en de affaire is nog lang niet afgewikkeld. De verzekeringsmaatschappijen passen bijna altijd de tactiek van de lange adem toe. Zij beschikken immers over de beste advocaten en voldoende kapitaal.

Weenink raadt alle gedupeerden aan in ieder geval zo spoedig mogelijk een zogeheten stuitingbrief te sturen naar de maatschappij waar zij hun woekerpolis hebben afgesloten. Een voorbeeld daarvan staat in het laatste hoofdstuk. Op dwaling, wat tot de meest vergaande schadevergoeding kan leiden, is een verjaringstermijn van toepassing van drie jaar. 'De woekerpolisaffaire is losgebarsten in het najaar van 2006,' rekent hij voor, 'de rechters zullen misschien zeggen dat de mensen medio 2007 konden weten dat er iets goed mis was. Eventuele claims verjaren in de loop van 2010.' Met een stuitingbrief verleng je de termijn met weer drie jaar.

De consumentenman verwacht bij de woekerpolissen

geen massale protesten, hoe gerechtvaardigd die ook zouden zijn. De meeste gedupeerden zullen de schikking van hun dienstverlener afwachten, waarna het in elk geval te laat zal zijn om zich nog te kunnen beroepen op dwaling. Maar het is al een winstpunt dat de markt van beleggingsverzekeringen voor een deel is ingestort. 'Als je er nu nog één koopt, moet je wel wereldvreemd zijn of geen kranten lezen.' Volgaarne blijft Weenink een luis in de pels van het Verbond van Verzekeraars, de lobbyfabriek die op haar site met weinig woorden rept over woekerpolissen. Het initiatief om een onderzoekscommissie voor de beleggingspolissen op te richten in het voorjaar van 2006, ruim tien jaar na de eerste waarschuwing van professor Boot, was een doekje voor het bloeden. 'Om de angel eruit te halen. Want ook het Verbond begon in te zien dat deze affaire niet meer was te stoppen en als een tsunami over de maatschappijen dreigde heen te komen.' En ze dreigde weg te spoelen.

De rapportage van deze onderzoekscommissie verschafte alleen aanbevelingen voor de toekomst. 'We hebben nog een brief gestuurd met de vraag om ook naar het verleden te kijken, want er waren immers miljoenen van die polissen in omloop. Die brief is nooit beantwoord. Zo gaat dat bij het Verbond. Slechte berichten stop je in een diepe la. Ongetwijfeld is er intern over gesproken, maar men dacht: laten we onze kop in het zand steken. Laten we struisvogelpolitiek bedrijven.' Zoals dat alle voorafgaande jaren tot grote successen en navenante winsten had geleid.

Fred van Raaij, hoogleraar Economische Psychologie aan de Universiteit van Tilburg, vraagt zich met alle respect af of de consument eigenlijk wel wil weten wat hij precies in huis haalt aan financiële producten. 'We hebben in 2007 namens het ministerie van Financiën een groot onderzoek gedaan naar spaar- en leengedrag. Een van de conclusies was dat dé consument niet bestaat. Je had groepen die ook actief waren op de aandelenmarkt en die wisten behoorlijk goed wat ze deden. Maar je hebt ook mensen die er de ballen van snappen of zelfs nog nooit van hun leven uit de rode cijfers zijn gekomen. Dat waren de hopeloze gevallen. Die kochten een LCD-scherm omdat de buren er ook een hadden. Die begrepen niet dat je heel wat voordeliger uit was door een persoonlijke lening af te sluiten in plaats van rood te staan met je creditcard, vaak tegen 1,5 procent per maand.'

Volgens de hooggeleerde Brabander weten veel bezitters van woekerpolissen helemaal niet dat ze een woekerpolis hebben. Laat staan dat ze nu massaal in opstand komen door hun banken, verzekeraars of tussenpersonen voor het gerecht te slepen. De gemiddelde consument, voor zover die bestaat, is helemaal niet geïnteresseerd in financiële producten en zal zich pas een hoedje schrikken als het op de einddatum op afrekenen aankomt. 'Te complex, te saai.' Een huis kopen en inrichten – dat is pas leuk. Verzekeraars en tussenpersonen hebben dankbaar gebruikgemaakt van het kuddegedrag. 'Hebzucht' is hier het sleutelwoord, zegt Van Raaij op besliste toon. Hebzucht in combinatie met een aan analfabetisme grenzende desinteresse. 'Kijk, als je het woord "inflatie" al niet begrijpt, hoe kun je dan verwachten dat je de rest van het verhaal kunt uitleggen?' De professor waarschuwt voor een ander lijk in de kast. 'Ik denk dat er nog een grote crisis zit aan te komen naast die van de woekerpolissen: de pensioenen.' Ook hier is sprake van een bijna onvoorstelbare desinteresse van de gemiddelde, goedgelovige consument.

2 Zilvervloot

2017 moest voor Bert Borgmans het jaar worden waarin de zilvervloot vol met 'waerdye eenheden' van zijn beleggingsverzekering zou binnenvaren. Maar dan komt in 2008 voor het eerst, na twintig jaar trouwe inleg, de kostenspecificatie van zijn 'goudmijntje': 1387 euro aan jaarlijkse inhoudingen op een jaarlijkse inleg van 2007 euro. Dat is 69 procent. Een woekerpolis, en wat voor een: een van de allereerste varianten op de Nederlandse markt. ''s Nachts lag ik te woelen in bed. Je denkt: het bestaat niet dat ze dit durven doen.'

'Waerdye eenheden.' Het klonk een beetje mysterieus, maar het moest zijn afgeleid van 'waerdij', oud-Hollands voor waarde. En wie wil er niet iets van waarde? Bert Borgmans zag wel wat in zo'n beleggingsverzekering. Hij had een hypotheek aangevraagd voor een bedrijfspand in het hart van Holland. De bijbehorende rekensommetjes van zijn financieel adviseur namen de laatste twijfels weg. Dertig jaar lang 2007 euro inleggen, en in 2017 zou dan de zilvervloot vol met 'waerdye eenheden' binnenvaren. Hij stak er maar vast de vlag voor uit in 1987.

Ergens halverwege 2008 viel de brief in de bus met een specificatie van kosten, een gevolg van een van de aanbevelingen van de commissie-De Ruiter om de mistige jaaropgaven van beleggingsverzekeringen te vervangen door voor iedereen begrijpelijke overzichten. En Bert Borgmans begreep precies wat er stond, maar hij kon het simpelweg niet geloven: tussenpersoon 254 euro, overlijdensrisico 643 euro en andere kosten 476 euro. Totaal: 1387 euro. Op een inleg van 2007 euro is dat een inhouding van 69 procent. Na twintig jaar trouw aan zijn financiële verplichtingen te hebben voldaan, bleek hij nog steeds 254 euro per jaar te betalen voor het advies van de tussenpersoon uit 1987, de verzekering voor risico van overlijden was bijna drie keer hoger dan marktconforme (afzonderlijke) polissen. En waarvoor waren dan nog die overige kosten van 476 euro? Voor het versturen van de brief met de acceptgiro?

Dit is het verhaal van een van de eerste beleggingsproducten, bedacht door verzekeraar Stad Rotterdam, waarop de concurrerende maatschappijen als vliegen op de stroop zijn afgekomen. Ze hebben het product uitgekleed en laten analyseren door actuarissen en econometristen. Hoe werkte het precies met de beleggingen? Mooie truc met die hoge premie voor overlijdensrisico, en dan ook nog die fantastische provisie, in dit specifieke geval bestemd voor tussenpersoon ABN Amro. Dat kunnen wij ook, en nog wel beter, dachten de verzekeraars. En zo werd een lawine aan voor de consument waardeloze polissen Nederland in gestuurd.

Wat Bert Borgmans ook onmiddellijk begreep in 2008 was dat de veelgehoorde verklaring van verzekeraars dat de teleurstellende resultaten van soortgelijke 'producten' vooral gezocht moesten worden in het depressieve beursklimaat, grotendeels op flauwekul berustte. De kredietcrisis was een mooie smoes om recht te praten wat krom is. Het gekke is: hoewel hij juist zijn communicatiebedrijf 'met gunstig resultaat' uit handen had gegeven en de toekomst in financieel opzicht onbezorgd tegemoet kon zien, beleefde hij vorig jaar toch veel slapeloze nachten aan dat jaaroverzicht dat hij via ABN Amro van Fortis toegezonden had gekregen. 'Het was de eerste keer dat ik werkelijk kon zien welke kosten ik al die jaren had betaald. 's Nachts lag ik te woelen in bed. Je denkt: het bestaat niet dat ze dit durven doen. Dat kan niet waar zijn! Het kan dus wel, je wordt belazerd waar je bij staat.'

Daar kwam nog bij dat de ondernemer bij ABN Amro bekendstond als een goede, trouwe klant, die gebruik kon maken van de faciliteiten van hun viproom op Schiphol. 'Ik wilde meteen tot afkoop overgaan toen ik wist wat er met mijn polis gebeurde. Eind 2008 heb ik gesprekken gehad met de verantwoordelijke bazen van een kantoor van ABN Amro in Leeuwarden. Die zeiden met hun oren te staan klapperen en dat dit hun eerste woekerpolis betrof. Ik heb ze aansprakelijk gesteld. We gaan hiermee aan de slag, zeiden ze, we gaan ernaar kijken en we gaan erover praten. Sindsdien heb ik nog drie e-mails gestuurd, maar daar heb ik nooit meer iets op gehoord.'

Eigenlijk had de ondernemer in ruste al eerder zijn polis willen afkopen, omdat de onderhavige hypotheek allang was afgelost. Zijn tussenpersoon zei bij herhaling: niet doen, tussentijds afkopen. Vooral niet doen. 'Achteraf blijkt waarom: de tussenpersoon verdiende ook nog steeds aan de polis.' Zouden veel consumenten trouwens weten dat een bank zoals ABN Amro niet alleen tussenpersoon is en dus provisies kan opstrijken, maar tevens verzekeraar is?

Het lijkt wel of alle betrokken partijen hebben afgesproken om eventuele kritische klanten die zich niet met het kluitje van de Wabekenorm in het riet wilden laten sturen gek te maken door simpelweg niets van zich te laten horen. Valt u maar dood, goede klant. Wij weten toch wel dat u op den duur de moed zult opgeven. 'Dan zie je weer een programma van *Tros Radar*, en je leest weer wat over woekerpolissen in de krant, ja dan wil je toch weer verder strijden.' Het is een strijd om moedeloos van te worden, met callcenters die je gedurende een uur of twee van het kastje naar de muur sturen. Op vriendelijke toon meestal, dat wel.

Zo ook toen Borgmans wilde reageren op de zogeheten compensatiebrief van Fortis, waar zijn polis na een aantal overnames was terechtgekomen. Op de brochure stond een man afgebeeld die je geruststellend en vriendelijk toelachte. Zijn lichaamstaal zegt: alles komt goed. Kom, dacht de gepensioneerde ondernemer, die weer moed had geput uit programma's van de Tros, ik ga die vriendelijke man van Fortis eens benaderen. 'Er werden twee namen vermeld in de compensatiebrief. Van het callcenter hoorde ik dat de ene medewerker nooit "klantencontact" had, en met de andere persoon mocht ze me helaas niet doorverbinden. Als het over woekerpolissen gaat, zijn de verantwoordelijke mensen gewoon onbereikbaar.'

Borgmans heeft zijn polis tien jaar voor de einddatum afgekocht, stukgelopen op die muur van stilzwijgen en verdwaald in het woud van 'units', dan weer aan Robeco toegekend, dan weer aan Rolinco en soms aan Waerdye. 'Nadat de eerste aanbieder, Stad Rotterdam, was overgenomen door ASR werd het verhaal steeds schimmiger. Op het eerste oog dacht je: het gaat wel goed met de rendementen. Maar eigenlijk snapte je niets van de berg papieren die je ieder jaar kreeg toegezonden. En dat er ieder jaar 12 procent van je inleg (al twintig jaar lang) meteen in de portemonnee verdween van je bank, waar jij zo'n goede klant was, dat begreep ik dus pas toen het eerste heldere overzicht in 2008 in de bus viel.'

Met de afkoopwaarde (43.896 euro) zou menig bezitter van gelijksoortige rommel nog dik tevreden zijn, maar dat geldt niet voor het achterliggende verhaal. 'De berichten over de hoge kosten van woekerpolissen begonnen door te sijpelen. Volgens de polisvoorwaarden konden wij boetevrij afkopen in 2008, waarop we besloten te vragen wat die waarde was. ABN Amro liet me weten dat het om ongeveer 90 mille ging. Een paar maanden later volgde de schriftelijke bevestiging, alleen stond in die brief dat mijn polis niet 90 mille waard was, maar 43.896 euro en dat ik bij afkoop nog 1538 euro aan "eerste kosten" moest betalen. Toen gebeurde er weer iets raars. De brief die wij moesten ondertekenen, arriveerde twee dagen na het verlopen van de uiterste datum. In deze tweede afkoopbrief was er plotseling wéér ruim 3000 euro verdwenen. Onze polis was nog iets meer dan 40 mille waard.'

Met het schuim op de lippen zat Borgmans daarna de betrokken afdeling van ABN Amro een week lang op de huid, met het gevolg dat hij een vaste medewerker kreeg toegewezen, die zich (schriftelijk) voorstelde als meneer Knol. 'Dat was mijn persoonlijke adviseur geworden. Nou ik heb me helemaal suf gebeld om met die man te spreken, en dat is mij geen enkele keer gelukt. Of hij was net weg of hij was in gesprek. En op mijn verzoeken om terug te bellen reageerde hij eenvoudig niet.'

'Schokkend' is een te vriendelijke kwalificatie voor de ervaringen van Bert Borgmans. Zijn geld is binnen, maar dat is met zoveel frustratie gepaard gegaan dat hij genoegdoening eist. Van de tussenpersoon, van Fortis, en eigenlijk ook van Jan Wolter Wabeke, de ombudsman met wie hij ook nog de degens kruiste. Geheel tevergeefs natuurlijk. 'Ik schreef Wabeke op 7 januari 2009 een brief van negen kantjes met het hele verhaal over de zwevende units, waarvan zomaar eenderde kon verdwijnen in het niets.' Op 24 februari 2009 kreeg hij antwoord. 'Dat wij een polis hebben met een kostenstructuur die niet afwijkt van hetgeen tot voor kort algemeen gebruikelijk was in het Nederlandse verzekeringsbedrijf.' Het zijn standaardbrieven die bijna iedere klager tegemoet kan zien. Het advies van de ombudsman: wacht de schikkingen maar af. 'Op een tweede brief van mij kreeg ik het antwoord dat mijn dossier gesloten was.'

Borgmans heeft zijn hoop gevestigd op een luis in de pels als René Graafsma, een tussenpersoon die in 2009 de stichting Foppolis oprichtte met als doel de bereikte compensaties met verzekeraars aan de hand van de Wabekenorm open te breken en tot realistischer schadevergoedingen over te gaan. Hij vreest dat het merendeel van de bestolen consumenten van plan is genoegen te nemen met de fooi uit de hoge hoed van de verzekeraars. 'En die mogen de polishouders vervolgens in de vorm van veel te hoge kosten gedurende de komende jaren terugbetalen.' Ze krijgen de compensatie immers pas op de einddatum uitgekeerd. Een sigaar uit eigen doos dus.

Je moet hopen, zegt Borgmans, dat Nederlanders massaal gaan afkopen en/of gebruikmaken van goedkopere alternatieven. Maar dan ook echt massaal. Of zullen ze toch de lijn volgen van de hoofdredacteur van *Elsevier,* die in een recente column de stelling verdedigde dat de gedupeerde klanten van DSB in hun eigen val zijn gelopen, 'en niet moeten miauwen'? 'Het allerergste is dat hij ook rustig schreef dat hetzelfde geldt voor bezitters van woekerpolissen. Als dan zelfs de beste journalisten niet snappen wat hier werkelijk aan de hand is, ja dan ga je wel begrijpen waarom de verzekeraars geloven dat deze storm wel zal overwaaien.'

De naam van Bert Borgmans is om redenen van privacy gefingeerd.

3 Diefstal

Vijftien jaar geleden waarschuwde econoom Arnoud Boot voor de ondoorzichtigheid van de steeds populairdere beleggingsverzekeringen. Voor de Universiteit van Amsterdam ging hij op onderzoek uit en stuitte daarbij op veel verborgen kosten en verhullende antwoorden. Hoe prognoses en dergelijke berekend worden? 'Dat is informatie die we niet naar buiten mogen brengen.' De schade kan volgens Boot richting de 150 miljard gaan, als dwaling wordt aangetoond. 'Je ziet dat de druk om tot een oplossing te komen heel erg groot is. De werkelijke schade (te groot voor ieder voorstellingsvermogen) wordt niet ingezien.'

'Ja hoor, er is sprake van diefstal,' zegt hoogleraar Ondernemingsfinanciering en Financiële Markten Arnoud W.A. Boot, zonder een spoor van twijfel in zijn stem. 'Dit zou je eerder verwachten in een bananenrepubliek dan in een beschaafd land dat bekendstaat om zijn calvinistische zorgvuldigheid.' Het meest verbijsterende aan de woekerpolisaffaire, waarvan hij de schade minimaal honderd keer hoger inschat dan de omvang van de recente vastgoedfraude, vindt hij dat de verzekeraars zich van geen kwaad bewust lijken. Die beriepen zich in december 2009 in een artikel in *de Volkskrant* op de afwezigheid van regels. 'Dat is een bizar standpunt. Alsof we elkaar onder bepaalde omstandigheden wel een mes in de rug mogen steken.' Misleiding mag niet in Nederland, zegt hij. Punt.

En misleiding was het, hoe graag de bazen van de verantwoordelijke bedrijven het ook anders willen doen voorkomen. Die zeggen dat de winstmarges in hun branche onder
druk kwamen te staan vanwege de lage marktrente op bijvoorbeeld de staatsobligaties, de veilige vijver waaruit de traditionele levensverzekeraars tot eind jaren tachtig konden
vissen. 10 tot 12 procent, en als je de klant dan afscheepte met
een marge van pakweg 4 procent bleef er meer dan genoeg
winst over. Ze willen doen geloven dat de nieuwe producten
juist wél klantvriendelijk waren, omdat vanwege de hoge rendementen de premies lager konden zijn. In theorie. En dat ze
met de nieuwe constructie het risico van een beurskrach geheel in de schoenen schoven van die goedgelovige klant, nou
ja, over een dergelijke verdachtmaking kunnen de grote bazen alleen maar erg boos worden. Hoe durven de criticasters!

Tot eind jaren tachtig waren veel hypotheken gekoppeld
aan een traditionele kapitaalverzekering. Je wist precies welk
bedrag over twintig of dertig jaar zou vrijkomen om je huis
grotendeels te kunnen afbetalen. De aandeelhouders begonnen zich te roeren, verlangden meer winst en dwongen de bedrijven in een onmogelijke spagaat. Er zijn voorbeelden bekend van verzekeringsmaatschappijen die een rentabiliteit
(winst na verrekenen van alle kosten) nastreefden van 17 (!)
procent. De meeste bedrijven knijpen hun handen dicht met
een jaarmarge van 7 procent. Rara, wie moesten deze enorme
kapitaalstromen op gang brengen?

Uit Australië, Groot-Brittannië en de Verenigde Staten kwamen
halverwege de jaren tachtig van de vorige eeuw de zogeheten
Universal Life/Unit Linked-verzekeringen overgewaaid, gebaseerd op beleggen en wel voor de verantwoordelijkheid van de
klant zelf. Uiteraard belegde de verzekeringsmaatschappij
waaraan u uw ouderwetse polissen had toevertrouwd ook al
met uw centjes, maar dat deden zij op eigen verantwoordelijk-

heid. Uw doelkapitaal was toen in ieder geval gegarandeerd.

Van alle 7 tot 8 miljoen moderne contracten die in omloop zijn gebracht zal misschien maar 1 procent het rendement halen dat ooit werd beloofd in de offerte. U hebt weliswaar een product aangeschaft dat vooraf gewogen is door De Nederlandsche Bank, maar bij de beoordeling zijn de belangen van de consument veronachtzaamd. Wist u dat de aanbieders aanvankelijk niet de zorgplicht hadden om de klanten goed uit te leggen wat ze in huis haalden? Met het oog op eventuele juridische aansprakelijkheid kozen de 'fabrikanten' voor het systeem van execution only. Ze gooiden vanaf toen als het ware hun 'rotzooi' over de schutting en zeiden tegen de argeloze consument (en tegen de tussenpersoon): succes ermee, zie maar wat je ermee doet, wij zijn van onze inkomsten verzekerd!

Het grote voordeel van de nieuwe producten was (en is) de flexibiliteit. U kon onderweg zelf bepalen welk deel van het opgebouwde kapitaal een extra dekking vereiste voor het risico van overlijden, u kon switchen tussen verschillende fondsen en kiezen voor de hoogste rendementen, uiteraard voor eigen risico. Hoe hoger het rendement, hoe groter het risico, het laatste met onbewust medeweten van de polishouder. Bij de traditionele garantieproducten wist je behalve het afgesproken eindkapitaal niet wat de maatschappijen met jouw geld deden (namelijk zelf beleggen), maar menig bezitter van de in woekerpolissen omgetoverde productgroep zou anno 2010 een moord willen doen om de inmiddels waardeloze papieren te ruilen voor een o zo saaie, maar o zo zekere traditionele levensverzekering met gegarandeerd eindkapitaal.

Professor Boot zag in 1995 de opkomst van 'al dat soort producten' in de vorm van bijvoorbeeld paginagrote advertenties. Samen met de wetenschappers Pieter van Oijen en Pieter van Hasselt van de Universiteit van Amsterdam vroeg hij dertig offertes aan. 'We wilden alle finesses weten, maar kwamen niet of nauwelijks achter de precies in te houden kosten. De eenmalige kosten konden we meestal wel achterhalen en die waren al erg genoeg. In de meeste gevallen werd één keer per jaar afgerekend, maar als je de maandelijkse afrekeningen van premies zag – die waren nog vele malen erger dan bij jaarnota's. Dan kwam je soms percentages (van kosteninhouding) tegen van 60 procent op de premie.'

De Amsterdamse wetenschappers konden in 1995 nog niet aantonen dat er werd 'gegoocheld' met ridicuul hoge overlijdensrisicopremies (wat pas in 2009 zou blijken) of dat de beleggingseenheden werden aangekocht en verkocht om bijvoorbeeld de kosten te dekken van de torenhoge premies. Maar de conclusie was toen al glashelder: 'Het bepalen van de kostenstructuur is zo complex omdat verzekeringsmaatschappijen de polissen zo veel mogelijk ondoorzichtig en onvergelijkbaar maken,' schreven de wetenschappers. Ze noemden de resultaten van hun onderzoek 'schokkend'. Terwijl de verkoophausse van de betreffende polissen nog op gang moest komen.

De kosten van de onderzochte producten bedroegen meestal 20 procent, een enkele polis zat op 10 procent, maar er waren er nog 'veel meer die de 30 procent halen (of zelfs ver te boven gaan!)'. 'Bij maandelijkse stortingen heeft de verzekeraar er geen enkele moeite mee om meteen eenderde van de premie achter te houden. Hoewel men suggereert dat hiermee in één keer alle kosten in rekening zijn gebracht, is dit *niet* het geval.'

De overheid krijgt er ook van langs in de rapportage van 1995. Het 'goudmijntje' van de aanbieders berustte voornamelijk op de daaraan verbonden fiscale voordelen. Op het moment van onderzoek mocht iedere Nederlander maximaal 5634 gulden per jaar belastingvrij reserveren voor de oude dag en storten in de betreffende polissen. Dat gebeurde uiteraard massaal. Maar Arnoud Boot en zijn twee collega's rekenden uit dat van iedere aan de verzekeringsmaatschappij toevertrouwde gulden in 1995 33 cent bij de consument belandt en 67 cent blijft hangen aan de dikke strijkstok van de aanbieder. 'Niemand zal ontkennen,' schrijven ze cynisch, 'dat het stimuleren van een eigen pensioenopbouw een legitieme doelstelling is. Maar wat de overheid heeft bewogen om dergelijke constructies toe te staan, of beter gezegd bewust te creëren is onduidelijk.'

Het is een eufemisme: onduidelijk. De wetenschappers toonden vijftien jaar geleden feilloos aan dat de beleggingsverzekeringen bijna niets te maken hadden met verzekeren, maar alles met beleggen. De verzekeraars spekken bijna altijd hun eigen huisfondsen, zonder hun klanten van relevante informatie te hoeven voorzien.

De meeste experts die in dit boek aan het woord komen, zijn ervan overtuigd dat de toegestane constructie te wijten is aan de machtige lobby van de verzekeraars in die jaren, in niets getemperd door welke politieke partij dan ook.

Het rapport bevat hilarische citaten uit interviews met productaanbieders. Nationale-Nederlanden: 'Wij voeren de grootte van de koopsom in de computer in en draaien vervolgens de prognoses uit, maar hoe ze tot stand komen, weten we niet.' De aangesproken inspectrice besluit met de woorden: 'Hoe prognoses en zo berekend worden – dat is informatie die we niet naar buiten mogen brengen.' Een actuariële medewerker die later wordt benaderd, geeft aarzelend toe dat de schatting van de Amsterdamse onderzoekers (18 procent van een koopsompolis gaat rechtstreeks naar Nationale-Nederlanden) 'aardig' klopt. De vraag of de kosten wellicht afhankelijk zijn van de grootte van de inleg wordt ook bevestigend beantwoord. Op de vraag of er een begrijpelijke brochure bestaat waarin de kosten worden gepreciseerd, luidt het antwoord: 'Nee, die is er niet.'

Een citaat van een adviesbureau over de 45 procent die Amev (tegenwoordig ASR Fortis) direct opeist bij een koopsompolis: 'Wat je ziet, is dat verzekeringsmaatschappijen enorme winsten maken. Ze geven geen opgave van kosten, of hoe premies verdeeld worden. U kunt niet achterhalen wat de kosten zijn, anders zou ik ze zelf ook wel weten. Ook van de rendementen gaat 1 tot 2 procent naar de verzekeringsmaatschappij. Als u een transparante belegging wil, moet u zeker geen lijfrenteverzekering nemen.' Delta Lloyd maakt op verzoek geen geheim van het beleggingsgedeelte, wanneer daar geen extra verzekeringen aan zijn verbonden: 85 procent van de inleg. Dat lijkt mooi, maar over de rendementen kan ook geen nadere informatie worden gegeven. 'Dat gaat niet, want "ze" werken met een model met een heleboel variabelen. Ach, je moet het op de lange termijn bekijken. Zo kan het bedrag lekker door renderen.' Het is maar een greep uit de smakelijke citaten.

Boot wil anno 2010 graag gezegd hebben dat er niks mis mee is dat verzekeringsbedrijven winst willen maken. 'De meeste producten werden al sinds mensenheugenis op "pushwijze" verkocht. De agenten wisten vijftig jaar geleden al dat ze moesten aankloppen op momenten dat man, vrouw en kinderen aan tafel zaten. De grote verandering was dat er een massaproduct in omloop kwam dat feitelijk niets met verzekeren te maken had, en veel meer met de daaraan verbonden fiscale voordelen.' Voor de in de offertes beloofde eindkapitalen heeft Boot, gezien de eerder geschetste kosteninhoudingen, maar één woord over: schandalig. 'Een vriend van mij heeft een aantal van die producten aangeschaft als spaarkapitaal voor zijn kinderen. Als hij om informatie vroeg over de waarde, kreeg hij tot voor kort standaardbrieven terug met de mededeling dat de vraag onmogelijk kon worden beantwoord vanwege de puur willekeurige bewegingen van de beurs.'

Je moet maar durven. In een recent dubbelinterview in *Management Scoop* met Boot en Sjoerd van Keulen, de voormalige baas van SNS Reaal, stelt laatstgenoemde verbijsterd vast hoe normaal hij het een paar jaar geleden vond om met droge ogen een klant schriftelijk uit te leggen dat zijn premie de eerste drie jaar naar de tussenpersoon ging in plaats van naar zijn hartstochtelijk aanbevolen eigen polis. Van Keulen: 'Die naïeve houding vind ik achteraf tekenend: we legden het wel netjes uit, maar vroegen ons niet af of we wel goed bezig waren. Het failliet van DSB is wat dat betreft voor iedereen een *wake up call* geweest. De vraag is hoelang het effect hiervan zal nagalmen.'

Wat er is gebeurd in deze sector heeft volgens Boot veel te maken met stijf dichtknijpen van de ogen door bestuurders, commissarissen en andere toezichthouders. 'De maatschappelijke elite heeft de andere kant uitgekeken.' Boot noemt het 'echt onvoorstelbaar' dat de consument nu met de gebakken peren zit in de vorm van tussen de 7 en 8 miljoen (doorgaans) waardeloze polissen. En dat die ook nog eens geacht wordt daarmee opgescheept te blijven zitten tot de einddatum, 'zoet gehouden' door schikkingen waarbij nog steeds 'de ontzaglijke marge' van 2,5 à 3 procent over de waarde van de polis (wat neerkomt op ruim 40 procent inhouding van de premie) redelijk wordt geacht. Terwijl er toch echt sprake is geweest van ten minste misleiding, en goede advocaten misschien wel dwaling kunnen aantonen. In dat geval zullen ongetwijfeld banken omvallen, zegt hij, net als professor Sterks in hoofdstuk 1.

'Er zou geen markt moeten zijn voor deze wanproducten. Als je de klant vertelt wat hij krijgt voor zijn geld, ís er ook geen markt voor. De consument zit massaal opgescheept met de polissen en wordt misschien wel boos op de politiek. Ik vermoed dat de belangen van overheid en politiek, zeker door de kredietcrisis, zo groot zijn dat ze het probleem van de woekerpolissen zo geruisloos mogelijk zullen willen oplossen. Het ministerie van Financiën heeft niet voor niets zo snel mogelijk de Wabekenorm (zie hoofdstuk 13) omarmd als je-van-het. Ik weet niet of er veel hoop is op een rechtvaardige afwikkeling. Grote schadeclaims maken weinig kans in ons rechtssysteem, schat ik in.'

De kredietcrisis kwam de banken en verzekeraars eigenlijk wel goed van pas in dit opzicht. Iedereen begrijpt dat bedrijven die kunstmatig in leven zijn gehouden door de Staat der Nederlanden (het ING van Nationale-Nederlanden, SNS Reaal, Aegon en Fortis) geen miljardenclaims kunnen betalen op dit precaire moment in hun bestaan. Boot schat dat wanneer dwaling inderdaad kan worden aangetoond de schade snel richting het duizelingwekkende bedrag van 150 miljard gaat, zeker wanneer ook de particuliere pensioenen (zie hoofdstuk 16) erbij worden betrokken. Dat hier ook wordt 'gewoekerd' en kostenonttrekkingen van 40 procent ten koste van de werknemers voorkomen, vindt hij nog verbijsterender omdat hier sprake is van afspraken tussen werkgevers en pensioenfondsen.

Boot hekelt de bedrijfscultuur van de sector. 'In 2002 moest ik voor het Verbond van Verzekeraars een bijeenkomst voorzitten over reputatieherstel van de sector, waarbij alle directeuren aanwezig waren van de verzekeringsmaatschappijen. Voordat we het een hele middag over reputatieherstel gaan hebben, zei ik bij aanvang, wil ik u op de man af vragen of u producten aanbiedt waarvan u weet dat ze niet in het belang van de consument zijn. Het bleef muisstil.' Twee jaar eerder deponeerde hij bij een congres met voornamelijk tussenpersonen de stelling dat de verzekeringssector aan elkaar hing van marketing en misleiding. 'Er kon anoniem worden gestemd. 71 procent van de aanwezigen was het ermee eens. Blijkbaar was het onmogelijk om je als individuele tussenpersoon te onttrekken aan de heersende cultuur.'

Boot beklemtoont dat de verzekeringsmaatschappijen de grote boosdoeners zijn. Zij zijn de veroorzakers, en niet de tussenpersonen die hun slechte producten verkochten of de naïeve consument. 'Je hoort bestuurders nu met een zekere afstand praten over de polissen, alsof iemand anders de problemen heeft veroorzaakt. Ze doen net alsof ze slachtoffer van de omstandigheden zijn en enorme pech hebben gehad.'

Hij zegt het nog maar een keer voor de hardhorenden onder ons: 'Je kunt allerlei namen geven aan de praktijken met deze polissen, maar het is en blijft diefstal.'

4 Who cares?

Beleggen voor beginners: wie 25 jaar geleden 100 euro toe-
vertrouwde aan een redelijk rendabel beleggingsfonds
(zonder inmenging van een verzekeraar) zou nu 514 euro
in de knip hebben. Sparen leverde in dezelfde tijdsspanne
308 euro op. Maar wat gebeurde er met de zuurverdiende
42 mille die een gedupeerde gedurende 21 jaar toever-
trouwde aan Nationale-Nederlanden? Eerder arrogant
dan stoïcijns verschool de maatschappij zich achter pila-
ren van 'kostenplaatjes' en in dit specifieke geval 'opscho-
ning van ons administratiesysteem'.

In het voorjaar van 2004 begon de gedupeerde polishouder te
begrijpen dat de zonnige prognoses, gedaan bij het afsluiten
van haar verzekering bij Nationale-Nederlanden (Flexibel
Belegd Verzekeren), nooit konden uitkomen. Het had weinig
tot niets te maken met het depressieve beursklimaat, maar
veel meer met de flexibele wijze waarop de maatschappij
waaraan zij haar 'appeltje voor de dorst' had toevertrouwd,
zich geld toeëigende. De offerte had op 1 april 2009 een geld-
bedrag van ongeveer 67.000 euro (147.000 gulden) in het
vooruitzicht gesteld, maar dat bleek een onvervalste 1-april-
grap. Of de prognose was door een fantast opgesteld, gezien
de kostenonttrekkingen van ongeveer 60 procent in de eerste
vijf jaar. Er was gekozen voor een 'veilige' belegging in een
NN-mixfonds, dus niks avonturieren in rendementrijke en
dus risicovolle fondsen.

Wist u dat de zogeheten huisfondsen over het algemeen

heel matig presteren en meestal slechter dan bijvoorbeeld een belegging gekoppeld aan de AEX, graadmeter van de belangrijkste bedrijven genoteerd op het Amsterdamse Beursplein? Beleggen kan voor een beheerder toch niet zo moeilijk zijn dat hij niet minstens 'gelijk kan spelen' met een dergelijke 'concurrent'? Bij de onderzoeken naar de woekerpolissen vanaf 2007 en 2008 (zo zal later blijken) is het fenomeen van de slechte beleggingsprestaties geheel buiten schot gebleven.

De klant als melkkoe. Bij een vergadering belegd ten gunste van het AFM-onderzoek naar de beleggingsverzekeringen (zie hoofdstuk 11) maakte een van de zegslieden van een verzekeraar zich geweldig boos om het begrip 'woekerpolissen'. Wat nou woekerpolissen, als je weet dat de rentabiliteit (bedrijfswinst na aftrek van alle kosten) van Nationale-Nederlanden bepaald is op minimaal 12 procent? En bij een product als Flexibel Belegd Verzekeren, kroonjuweel in de NN-schatkamer, nooit meer heeft bedragen dan 'slechts' 8 procent? Hetgeen volgens deskundigen moet leiden tot een kostenonttrekking van 60 procent aan de premie.

Jan Wolter Wabeke, destijds Ombudsman Verzekeringen (Stichting Klachteninstituut), tot wie bovengenoemde consument zich in 2004 wendde met duistere vermoedens over de eigen Flexibel Belegd Verzekeren-schat, gaf antwoord in de vorm van een onbegrijpelijke cijferbrij waaruit moest blijken dat de verzekeraar geheel in zijn recht stond. Schuimbekkend vervoegde de klant zich bij een rechtsbijstandsverzekering die een kafkaiaanse correspondentie begon. Eerder arrogant dan stoïcijns verscholen de specialisten van Nationale-Nederlanden zich achter pilaren van 'kostenplaatjes' en in dit specifieke geval 'opschoning van ons administratiesysteem'. Ja echt, zo stond in een brief uit 2004. Mevrouw had geen poot om op te staan.

Ze kon op het dak gaan zitten, zo bleek uit de ruim 37 centimeter dikke map correspondentie. Voor de moeite kreeg ze 1500 euro, 'uit coulance', zo schreef het verantwoordelijke afdelingshoofd. Ze moest daar blij mee zijn. Maar o wee als ze het in haar hoofd haalde te denken dat Nationale-Nederlanden iets te verwijten viel. Op 1 april 2009 keerde de polis nog geen 30.000 euro uit, bijna veertig mille oftewel 55 procent beneden het verwachte en ooit op een bloembed van verleidelijke volzinnen, afkomstig van een daartoe opgeleide verkoper van luchtkastelen, gepresenteerde aanbod. Meer dan een kwart van de inleg was in 21 jaar in rook opgegaan.

En dat staat nog los van het feit dat de vroeger ingelegde guldens en euro's nu veel meer waard zouden zijn. *Het Financieele Dagblad* maakte onlangs een rekensommetje voor zijn lezers om aan te tonen dat een pensioenfonds beter kan beleggen dan veilig sparen. Reken maar mee: wie 25 jaar geleden 100 euro belegd had, zou nu (de gevolgen van de kredietcrisis meegerekend) 514 euro hebben. Ouderwets sparen leverde in eenzelfde tijdspanne 308 euro op. Gezien deze rekensom in het *FD* mag je ervan uitgaan dat de verzekeraar van onze bedrogen polishouder haar ruim 42.000 ingelegde harde euro's in die 21 jaar minstens moet hebben verdubbeld, zo niet verdrievoudigd op de eigen balans. Rara, waar is de rest gebleven?

Wat betekent deze 'devaluatie' voor de vele beleggingsproducten, gekoppeld aan hypotheken en pensioenen? Daar zal de meeste pijn worden geleden, al mag de schade van de miljoenen kleinere polissen niet worden onderschat. Hoeveel van die 'monsterpolissen' er precies in omloop zijn, is niet bekend. Maar volgens de meeste deskundigen zijn het er minimaal meer dan een miljoen. In 2003 becijferde de AFM (Autoriteit Financiële Markten) dat ten minste 55 procent van de huishoudens met een beleggingshypotheek kans maakt op een restschuld. De kredietcrisis (en de wereldwijde ineenstorting van de beurzen) was toen nog ver weg. De percentages zijn ongetwijfeld nog zwartgalliger geworden.

Hier ligt ook het grootste gevaar voor de Nederlandse economie. Zolang de huizenmarkt stabiel blijft en de prijzen niet in hetzelfde dramatische tempo dalen als bijvoorbeeld in de Verenigde Staten is gebeurd, zullen de consumenten de enorme verliezen van hun woekerpolissen redelijk kunnen compenseren met de waardestijgingen van hun onroerend goed over de afgelopen jaren. Gaat de overheid daarentegen nog meer sleutelen aan de fiscale voordelen van bezit van een eigen woning (hypotheekrenteaftrek), dan zou hier weleens de kiem kunnen worden gelegd voor een nieuwe, echt Nederlandse kredietcrisis.

Stel: u gaat in 2017 met pensioen en heeft dertien jaar geleden een beleggingshypotheek afgesloten, waarbij u een offerte werd overhandigd van 150.000 euro. Daarvoor hebt u al die jaren premie betaald, ongetwijfeld ook voor een heel vette overlijdensrisicoverzekering. Ervan uitgaande dat bovenstaande voorbeeldpolis bij Nationale-Nederlanden geen dramatische uitzondering is, gebruiken we de 45 procent die deze polis uiteindelijk uitkeerde nu als rekenmodule voor de offerte van anderhalve ton. U komt dan op de einddatum ruim 82.000 euro tekort. Als uw onderpand voldoende in waarde is gestegen en uw pensioen naar wens, is er weinig aan de hand. Behalve dan dat u slechts 68 mille ontvangt, terwijl u gerekend had op 150.000 euro. Dat geld is weg, althans, het is inmiddels weggesluisd naar aandeelhouders, spaarpotten en bonussen van directieleden, commissarissen en geïnvesteerd in majestueuze gebouwen.

De een verdiende veel aan administratie, de ander bij het beheren van de beleggingen, maar de kassa rinkelde vooral bij het berekenen van de premies van overlijdensrisicoverzekeringen. Een praktijkvoorbeeld: een vijftigjarige man verzekert zich voor 200.000 euro. Bij maatschappij A betaalt hij daarvoor 1196 euro op jaarbasis, bij maatschappij B, de goedkoopste, is hij 776 euro kwijt. Over vijftien jaar scheelt het ruim 6000 euro. Zelfde service, andere prijzen en geld dat niet wordt belegd, maar regelrecht verdwijnt in de zakken van de verzekeraars. Later zal blijken dat het onderscheid vooral gezocht moet worden in de 'houdbaarheid' van de zogeheten sterftetafels. Partij A baseerde tarieven op antieke, achterhaalde exemplaren, toen Nederlanders gemiddeld korter leefden en de verzekeraar hogere prijzen kon rekenen.

Over welke kant de geldstroom van de nieuwe producten op ging, bestond weinig twijfel, zo bleek uit gesprekken in de wandelgangen van het kantoor van het Verbond van Verzekeraars in Den Haag. Daar werden de assurantiespecialisten werkzaam in schadeverzekeringen (opstal, auto, aansprakelijkheid, enzovoort) uitgelachen om hun karig betaalde baantjes. Het verhaal was simpel: wie rijk wilde worden, hield zich alleen nog bezig met de fantastische rendementen, te behalen uit die schier onuitputtelijke bron van beleggingsverzekeringen. Je was echt gek om je nog druk te maken om die kleine marges van de traditionele branche. Tja, en dat die woekerwinsten ten koste gingen van de naïeve consument. *Who cares?*

Klokkenluiders, actuarissen, hoogleraren en tussenpersonen hebben zich erover verbaasd, hoe een dergelijk groot maatschappelijk probleem als de woekerpolisaffaire zich tot dusver kon afspelen in betrekkelijke medialuwte. Ondanks alle waarschuwingen van diezelfde specialisten, en ondanks de vele miljarden die de afgelopen vijftien tot twintig jaar de verkeerde kant zijn uitgerold. De vergiftigde polis in dit hoofdstuk is karakteristiek voor de wijze waarop de verzekeraars hun handen in onschuld wassen. *Wir haben es nicht gewusst.* Of beter: wij hebben het wel geweten, maar u had zelf beter moeten weten.

5 Klokkenluider

Van de 'op maat gesneden' wonderpolissen werden er tussen 1995 en 2005 gemiddeld 2300 per werkdag verkocht. De marketingmachine ging vooral in 1999 op volle toeren draaien, toen bekend werd dat de fiscale voordelen zouden verdwijnen. Volgens klokkenluider Ab Flipse is Aegon koploper, waar het gaat om wat hij foute verkoop noemt. 'Eigenlijk zouden de top van het verzekerings- en bankwezen en niet te vergeten de toezichthouders strafrechtelijk moeten worden vervolgd.'

Een verzekeringsbaas die anoniem wil blijven, vraagt zich met niet-geveinsde verbazing af wie het sprookje de wereld in heeft geholpen over de door provisie gelokte adviseurs en tussenpersonen. Zij zouden, verleid door de hoge bonussen van de maatschappijen, miljoenen Nederlanders de beleggingspolissen 'in de mik hebben geschoven'. Maar weten we dan niet dat de traditionele producten net zo rijkelijk beloond werden en worden? Ja, dat weten we nu en het zou eigenlijk reden moeten zijn voor alle weldenkende Nederlanders in de meeste gevallen geen kapitaalverzekeringen meer af te sluiten en terug te vallen op het ouderwetse spaarvarken of de vochtvrije sok.

Een andere dooddoener, te pas en te onpas uitgesproken door het Verbond van Verzekeraars, maar even graag door tussenpersonen en adviseurs: vraagt u zich weleens af hoeveel de bloemenzaak op de hoek verdient aan een bos rozen? Op de veiling gaan de mooiste exemplaren bijna voor niets te deur uit. Juist. En waarom vragen we niet aan de bakker wat hij overhoudt aan een halfje brood? Scheermesjes, nog erger. Winstmarges van 1000 procent zijn eerder regel dan uitzondering. Maar wat verzekeraars en tussenpersonen liever niet willen horen en zéker niet willen begrijpen is dat het bij de woekerpolissen niet zozeer gaat om de verdiensten als wel om de stiekeme wijze waarop uit de pot met goud wordt gegraaid.

Iedere weldenkende consument zal begrijpen dat verzekeringen niet gratis tot stand komen. De beste adviseurs mogen zich heus wel in de allersnelste bolides, gekleed in smetteloze, scherp gevouwen kostuums verplaatsen. Alleen moeten ze niet zo grenzeloos jokken. Dat geldt natuurlijk ook voor het achterhouden van informatie. Want daar gaat het voornamelijk over in dit boek. Je verkoopt een BMW, terwijl het bij aflevering een derdehands Trabant blijkt te zijn of misschien zelfs wel een bakfiets. Welke klant zou daarmee genoegen nemen?

Een voormalige directeur van een Nederlands verzekeringsbedrijf, die niet met naam wil worden genoemd, heeft ook een mooie metafoor met automerken in de aanbieding. 'Het was vroeger bekend dat sommige auto's in het Nederlandse klimaat nogal snel begonnen te roesten. Verkopers raadden bij aanschaf een tectyleerbeurt aan. Kostte wel 750 gulden extra. Veel klanten wilden dat nieuws niet horen en besloten het erop te wagen om het zonder die dure behandeling te doen. Toen het chassis inderdaad begon weg te rotten, wisten ze zich natuurlijk niets meer te herinneren van het "dure advies" bij aanschaf. Geloof me: zo is het ook bij kopers van "woekerpolissen" gegaan. Die zijn in de meeste gevallen echt wel gewaarschuwd voor nadelen als bijvoorbeeld de eerste kosten om de provisie van de tussenpersoon te verrekenen.'

Hij wil wel erkennen dat veel producten (achteraf beschouwd) te ingewikkeld waren voor de consument die wel graag wilde beleggen en dat steeds normaler begon te vinden, maar niet goed begreep wat de risico's waren. 'Je kunt ook vaststellen dat spaarloonpolissen [een variant waarbij de consument met een extraatje van de baas belastingvrij kon 'sparen' – KK] letterlijk werden aangesmeerd. In massale hoeveelheden. Maar ik weet zeker dat verzekeraars de hoge kosten bij aanschaf van de meeste beleggingsverzekeringen [vaak 50 procent of meer van de inleg – KK] hebben gecommuniceerd. Alleen dan misschien niet dik onderstreept. Nu er zondebokken moeten worden gezocht, willen de kopers zich dat liever niet meer herinneren.'

De kop op de voorpagina van *de Volkskrant* van zaterdag 10 juni 2000 luidt: 'Verzekeraars onthouden beleggers informatie'. De inleiding: 'Nederlandse banken en verzekeraars omzeilen gedragscodes over de kosten van koopsompolissen, lijfrentepolissen en andere beleggingsverzekeringen. Een groot deel van die kosten blijft onzichtbaar, waardoor polishouders jaarlijks honderden miljoenen guldens rendement kunnen mislopen.' Einde citaat. Daarnaast blijven de eigen beleggingsfondsen van verzekeraars door een gat in de wet buiten het toezicht van De Nederlandsche Bank.

Let wel, we schrijven het jaar 2000, zes jaar voordat de verantwoordelijke partijen zich serieus begonnen af te vragen, of het niet eens tijd werd om schoon schip te maken. Wat het toezicht van Nout Wellink en zijn kompanen betreft, ook toen al een wassen neus: deze zinsnede sloeg vooral op de 'huisfondsen', die niet aan toezicht onderhevig waren. De aanbieders konden dus doen en laten (rekenen) wat ze wilden met hun dure speeltjes. In het *Volkskrant*-artikel werd tien jaar geleden uitgebreid gewaarschuwd voor de ondoorzichtigheid van de complexe polissen en de mogelijkheid om op allerlei manieren kosten door te rekenen aan de klant.

In een bijbehorend verslag op de economiepagina uit

Frank Rosenmuller, baas van levensverzekeraar Royal (tegenwoordig Allianz), zijn verbazing over de enorme populariteit van wat nu woekerpolissen heten. 'Toen wij eind jaren tachtig met deze producten begonnen, was ons marktaandeel 3 procent. Nu in 2000 bedraagt het 75 procent, een ongekende groei.' Ja hoor, de kopers werden vooral gelokt door de fiscale voordeeltjes (in 2000 de mogelijkheid om 6179 gulden per persoon per jaar belastingvrij opzij te zetten voor 'later') en ze wilden niet horen dat de meeste van die polissen later in een wél fiscaal belaste lijfrente moesten worden omgezet. In de tussenliggende jaren vertrouwde je het kapitaaltje toe aan de verzekeraars, die zich kunstenaars toonden in het berekenen en verzinnen van kosten.

Ha, de klanten konden tussentijds zien of liever horen, hoeveel hun beleggingspolis waard was geworden. Via een speciaal telefoonnummer en een eigen pincode kon je achter het geheim komen. 'Natuurlijk houden wij bij, wanneer en hoe vaak onze klanten dat nummer belden. En wat denk je? Ze bellen vooral, wanneer de koersen stijgen. Als ze dalen, blijft het stil.' Iedere psycholoog kan uitleggen waardoor het kuddegedrag wordt veroorzaakt. De mens sluit graag de ogen voor slechte berichten. Die psychologische factor zou de verzekeraars bij deze woekerpolisaffaire uiteindelijk weleens goed van pas kunnen komen en heel veel geld aan schadeclaims kunnen schelen.

Alleen al tussen 1995 en 2005 werden 6.100.000 beleggingspolissen verkocht in Nederland, gemiddeld 2300 per werkdag. De top lag in 1999, nota bene het jaar waarin bekend werd dat de fiscale voordelen vanaf 2001 beperkt zouden worden. De marketingfabrieken van de verkopers gaven nog maar eens vol gas. Naar schatting van actuarissen is er tot op heden voor minimaal 100 miljard aan premie ingelegd. Veel van de polissen werden afgesloten op het moment dat de beurzen op de hele wereld het ene na het andere record braken. Het betekent rampzalige rendementen in de nabije toekomst, tenzij de koersen zich op spectaculaire wijze zullen herstellen. Je kunt de collaps uiteraard niet toeschrijven aan adviseurs en producenten. Wel valt hun te verwijten dat zij alleen maar hosannascenario's schetsten. De torenhoge kosten van deze producten bent u sowieso kwijt. En u blijft bovendien veel kosten afdragen, nu zelfs gelegaliseerd door de schikkingen met een aantal stichtingen, waarover later in dit boek meer.

In Nederland waren de Zwolsche Algemeene, 't Hooge Huys en Delta Lloyd de pioniers op het gebied van beleggen en verzekeren onder één paraplu. Het zogeheten Verzekerd Investerings Plan van de eerstgenoemde maatschappij, door de verkopers liefdevol 'vipjes' genoemd, was een van de eerste moderne producten op de markt. En inderdaad, zoals de verzekeringsbaas aan het begin van dit hoofdstuk verbaasd opmerkte: de provisies scheelden niet veel in verhouding tot de ouderwetse varianten. Alleen werden de polishouders in groten getale in de val gelokt, niet door de flexibele polisvoorwaarden, maar veel eerder door krankzinnige rendementen van 9 of zelfs 14 en in enkele gevallen 18 procent. Terwijl een jaarlijkse winstprognose van 8 procent over een langere periode eerder berust op fantasie dan werkelijkheid, zelfs als die door de meest professionele belegger kan worden beïnvloed.

'Het waren aanvankelijk ook heel aantrekkelijke alternatieven,' zegt financieel expert Ab Flipse van adviesbureau FPoint BV. 'Ik heb zelf ook drie polissen aangeschaft. Er waren prachtige namen in omloop die lekker bekten. En ik heb in het begin heel veel van die woekerpolissen verkocht. Ze waren op het eerste oog veel beter dan de traditionele kapitaalverzekeringen, ondanks de hoge kosten gedurende de eerste vijf jaar. De keuze uit fondsen leek onbeperkt, risicovol of niet. De populariteit was enorm, mede doordat beleggen een hot item was geworden, zowel bij tussenpersonen als consumenten. We hadden plotseling de beschikking over een BMW, terwijl we al die jaren, met de ouderwetse kapitaalverzekeringen, in een Skoda hadden gereden.'

Flipse besloot van de ene op de andere dag weer in een Skoda te gaan rijden, figuurlijk gesproken. Die beslissing werd niet alleen ingegeven door het grotendeels wegvallen van de fiscale voordelen in 2001. Hij vond eigenlijk dat zijn 25.000 Nederlandse collega's net als hij om morele redenen hadden moeten stoppen met de verkoop van deze polissen. 'Tussenpersonen en verzekeraars werden schatrijk. De hausse kwam juist na het intrekken van de fiscale voordelen goed op gang. Er werd misbruik gemaakt van de naïeve consument die een polis in de mik werd geschoven.' Geen gezeik, iedereen rijk. Behalve de consument.

In korte tijd stampten de aanbieders ruim 1200 producten uit de grond, kosten noch moeite werden gespaard om ze aan de man/vrouw te brengen. Maar die investeringen moesten natuurlijk worden verrekend met de klant die ze kocht. Omdat de moderne 'verzekeringen' inderdaad verschilden van andere alternatieven (al was het minimaal), moesten steeds aparte administraties worden bijgehouden. De software van bestaande computerprogramma's was eenvoudigweg niet berekend op de doolhof van varianten. Maar Koning Klant kreeg en krijgt de rekening gepresenteerd voor de hoge administratiekosten.

Iedereen deed mee in de dans rond het gouden kalf, maar als je een hitparade zou moeten opstellen van gradaties in slechtheid torent Aegon, volgens Flipse, hoog boven iedereen uit. 'Dat is de absolute koploper wat betreft foute verkoop. Aegon maakte gebruik van speciale verkoopmaatschappijen met callcenters en keiharde colporteertechnieken.' Keihard en gewetenloos, zonder rekening te houden met de financiële misère die ze zo konden veroorzaken in gezinnen. 'Het heeft te maken met je niet kunnen inleven in een ander. Je kunt volgens mij alleen de absolute top halen in het bedrijfsleven als je over niet al te veel empathie beschikt.'

Flipse werkte aanvankelijk in de vastgoedwereld, totdat hij in de gaten kreeg dat een pand drie of vier keer op een en dezelfde dag werd verkocht. 'Ik begreep maar niet dat notarissen meewerkten aan deze praktijken en dat de problemen niet werden opgepikt door de politiek. Buitengewoon naïef was ik nog in die jaren, maar de dossiers die ik opensloeg over vastgoedtransacties, deugden van geen kant. Er was echter geen belangstelling voor mijn openlijke kritiek, hoe hard ik ook riep.' Behalve dan van de zijde van de boosdoeners. 'De bedreigingen kwamen niet alleen van de onderkant van de samenleving, zoals op buitengewoon intimiderende wijze klem worden gereden op de grote weg. Maar ook uit de "bovenwereld". Zo herinner ik me nog goed het telefoontje van een meneer van Fortis die mij te verstaan gaf onmiddellijk te stoppen met al mijn onderzoeken op vastgoedgebied en het gesprek nogal intimiderend beëindigde met: begrijp goed dat dit telefoongesprek nooit heeft plaatsgevonden.'

Flipse bleef strijden tegen de in zijn ogen onwaarschijnlijke praktijken uit de vastgoedwereld en de vanzelfsprekendheid waarmee banken 'het spel leken mee te spelen'. 'En of je nu bij toezichthouders of de politiek aanklopte, overal viel de deur met een klap dicht.'

Hetzelfde geldt volgens hem nu voor de woekerpolissen. Onmogelijk volgens hem om die met enig goed fatsoen nog te verkopen, alhoewel het nog steeds (weliswaar in mindere mate) gebeurt. Dat vond hij al in 1999, niet tot ieders vreugde. 'Ik werd op congressen door andere tussenpersonen uitgescholden voor klootzak. En de verzekeraars hebben me gehaat. Eén keer kreeg ik een brief van Reaal met de mededeling dat mijn aanvragen voor hypotheken zouden worden geblokkeerd. Via het Verbond van Verzekeringsadviseurs en mét het dreigement om naar *De Telegraaf* of *Tros Radar* te stappen, werd de beslissing een paar dagen later teruggedraaid. Niets werkt beter dan media-aandacht, daar kan geen toezichthouder tegenop. Op mijn werk als adviseur was en is niets aan te merken. Ik hield alleen de branche een spiegel voor. Maar het bewijst wel dat veel machten en krachten een rol spelen achter de schermen.'

Dat de verzekeraars schatrijk konden worden met ondeugdelijke producten en vooral ondeugdelijke informatie moet volgens Ab Flipse ook de goedgelovige consument worden aangerekend. Naïef op het autistische af. 'Het heeft niets met opleiding te maken of verdiensten. Iedereen stinkt erin.' Blind geloof in verzekeraars, banken, accountants, notarissen, 'allemaal gevestigde instituten waar tegenop werd en wordt gekeken'.

De Nederlandse woekerpolisaffaire is uniek in de wereld. 'We zijn een volk van calvinisten. Mensen met eerlijke gezichten, maar intussen gaan we met onze betrouwbare uitstraling vrolijk over lijken.' Eerlijk is eerlijk: als je de klanten die blind tekenden voor contracten waar de werkelijke kosten wél werden gesignaleerd, de kost zou moeten geven is de grootste gaarkeuken te klein. Er zijn voorbeelden bekend van offertes waarin werd vermeld dat van iedere 100 euro de eerste jaren slechts 20 procent werd belegd. Geen enkel bezwaar, waar wilt u de handtekening hebben? De makke consument verfoeit hij, maar nog veel erger vindt hij het bijna vanzelfsprekende stelen door wat hij de financiële elite noemt.

'We merken hier op kantoor dat veel Nederlanders niet eens weten dat ze in het bezit zijn van een woekerpolis. En als je dan probeert ze te helpen, merk je dat de meesten niet eens geholpen willen worden. Ze vinden het maar een hoop gedoe en schamen zich ervoor dat ze in de val zijn gelopen. En een meerderheid van de media begrijpt de grootte van het schandaal niet. Je zult zien dat aan het einde van de rit misschien 1 procent van alle gedupeerden doorvecht tot de laatste euro. Je spreekt dan over hooguit 70.000 rebellen, een fractie van het totale aantal gedupeerden.'

De doorbijters zullen ontzettend veel geduld moeten betrachten en zo veel mogelijk van het kastje naar de muur worden gestuurd. 'Alle grote maatschappijen, of het nu telecommunicatie, energie of verzekeren betreft, hebben vangnetten gemaakt voor de kritische consument. De meesten zijn niet eens in staat een fatsoenlijke brief op te stellen en zo valt 80 procent snel af. Daar zijn standaardbrieven voor ontwikkeld. Voor de aanhouder zijn geschriften in de aanbieding met een wat fellere toon. Zo blijft er uiteindelijk ongeveer 1 procent over die doorgaat tot het bittere einde. Nou ja, daar houden de verzekeringsmaatschappijen rekening mee. Deze affaire gaat ze sowieso nog een paar miljard extra kosten. Dat weten ze. Maar voor ze die uitgeven, zullen ze de zaak zo lang mogelijk proberen te rekken.'

Ze zullen wel zien, de grote geldbedrijven. Advocaten, geld en geduld in overvloed, alhoewel de kredietcrisis nu roet in het eten zou kunnen gooien. 'Rekken, rekken, rekken. Dat is hun tactiek. Voor hetzelfde geld zijn de beurzen weer enorm gestegen over tien jaar en zijn alle problemen naar de achtergrond verhuisd. De gemiddelde consument haakt af, ook de stichtingen krijgen ruzie. Je kunt het allemaal voorspellen. Het is gemakkelijk oorlog voeren hoor, onder deze omstandigheden. Het enige waar ze niet tegen kunnen is het ongeleide projectiel: de media. Als de pijn van de woekerpolissen werkelijk doordringt tot de consument, ja dan krijg je onvermijdelijk een opstand. Je hebt het al een beetje gezien bij DSB.'

Flipse weet uit betrouwbare bron dat verzekeraars met stille trom een aantal belangrijke klanten voor al te rotte woekerpolissen hebben gecompenseerd, voor een bedrag van vele tonnen. De klanten en juristen hebben daarbij voor geheimhouding getekend. 'Dat geeft wel aan dat er een mooie juridische basis is gelegd ten gunste van aanhoudende consumenten. Als die massaal geen genoegen nemen met de compensatie die de meeste maatschappijen dit jaar en in 2011 gaan bekendmaken, dan loopt de rechterlijke macht klem. De verzekeraars kunnen het schudden, want ze gaan de zaken massaal verliezen. Twee vragen zijn daarbij belangrijk: zullen de rechters onafhankelijke beslissingen durven nemen, of zullen ze kiezen ten gunste van hun vriendjes uit de verzekeringssector voor wie ze vroeger als advocaat optraden? En de andere vraag is of je wel moet willen dat maatschappijen gaan omvallen, want uiteindelijk komt de rekening dan toch weer bij ons, de belastingbetalers.'

De overheid wil graag de deksel op de beerput houden, zegt Flipse. 'Je moet vaststellen dat de gewone man in Nederland voor een fractie van wat de heren aan de top uitvreten zwaar wordt gestraft. Eigenlijk zouden de top van het verzekerings- en bankwezen en niet te vergeten de toezichthouders strafrechtelijk moeten worden vervolgd. Misschien moet je besluiten tot een soort waarheidscommissie, zoals die in Zuid-Afrika schoon schip heeft gemaakt. Als pakweg 10 procent van de gedupeerde woekerpolishouders wakker wordt en in beweging komt, kunnen een aantal mensen in Nederland emigreren en sommige verzekeringsmaatschappijen de tent sluiten. Maar dat gaat niet lukken in dit land, waar vele ex-politici vergroeid zijn met het financiële systeem. Wiegel, Vermeend, Nijpels, Kok, Zalm – de lijst is eindeloos. Of er moet een opstand komen waarbij die luitjes gewoon het land worden uitgejaagd.' Ja, dat laatste lijkt Flipse een mooie optie. Maar dan wel graag een paar van de betrouwbaarste toppers achter de hand houden om niet helemaal opnieuw bij nul te hoeven beginnen.

Kalo Bagijn, directeur van de nieuwe prijsvechter Brand

New Day (die stunt met veel goedkopere alternatieven voor de woekerpolissen), zegt het in iets vriendelijker bewoordingen. Het spijt hem dat de overheid bij het overeind houden van grote banken/verzekeraars na het losbarsten van de kredietcrisis niet tegelijkertijd de 'scenarioschrijvers' van alle woekerpraktijken op een zijspoor heeft gezet. 'Je ziet ze weer terug op verantwoordelijke posities, alsof er helemaal niets is gebeurd. Als je het positief wilt uitdrukken, zijn de meeste bestuurders van financiële instellingen egocentrisch. Maar in het ergste geval kun je spreken van oplichters, durf ik wel te stellen. De cultuur zal alleen veranderen als je heel hard ingrijpt. De sector zelf zal dat nooit doen. Er kan schoon schip worden gemaakt, maar of het ook zal gebeuren, hangt sterk af van de consument en de media. Het is nu of nooit.'

6 Meneer De Boer

Lang voordat de AFM *de jacht opende op tussenpersonen moesten die al voldoen aan kwaliteitseisen, vastgelegd in de Gedragscode Informatieverstrekking Dienstverlening Intermediairs. Het was verboden zaken te doen met kantoren die niet* 'GIDI*-proof' waren. 'Maar iedereen wist dat Aegon en Nationale-Nederlanden werkten met verkoopkantoren en callcenters die helemaal niet voldeden,' zegt tussenpersoon van de oude stempel Dick Krikke. Zoals altijd wordt 'het klootjesvolk' aangepakt, 'de kleine jongens', 'de zogeheten papa-en-mamakantoren'.*

Meneer De Boer was grotendeels kaal, reed in een onopvallende auto en leek te zingen wanneer hij praatte. Het was een vrolijk lied dat hij zong, gezien de twinkelingen in zijn ogen. Droeg hij een bril? Dat weet Marijke Willems niet meer. Maar de premie die hij bij haar thuis kwam ophalen voor de begrafenispolis op haar naam, herinnert ze zich nog wel: twintig cent per week gedurende twintig achtereenvolgende jaren. Dat deed meneer De Boer natuurlijk niet letterlijk wekelijks en zeker niet gedurende twintig achtereenvolgende jaren, maar hij kwam wel regelmatig op bezoek in de Scheveningse S-straat en bleef zelfs eten af en toe. Ja, haar verzekeringsadviseur, meneer P.H. de Boer, werd beschouwd als een huisvriend en zo vertrouwden ze hem ook.

De Groot-Noordhollandsche van 1845 verplichtte zich voor het luttele bedrag van twintig cent, te betalen gedurende een periode van 1040 weken, tot een uitkering van 416 gulden.

Een kleine rekensom leert dat een inleg van 208 gulden, en dan nog wel onder voorwaarde dat Marijke Willems gedurende die twintig jaar in leven zou blijven, voldoende was voor een uitkering van het dubbele bedrag. En je mag toch ook aannemen dat die aardige meneer De Boer nog wat heeft verdiend aan deze polis, en de Groot-Noordhollandsche van 1845 kan ook geen liefdadigheidsinstelling zijn geweest.

De polis is premievrij gemaakt in 1971. Wat er met de 416 gulden is gebeurd, weet ze niet meer. Je zou er heden ten dage met goed fatsoen een krans van kunnen kopen, maar voor een aantrekkelijke laatste rustplaats moet je bij dat bedrag denken aan een zeemansgraf. Aan de betreffende polis nummer 971675 zit nog een kaartje geniet van De Directie met het bericht van beëindiging van premiebetaling en een waarschuwing in keurige bewoordingen: 'In verband met de algemene stijging van kosten, verbonden aan een begrafenis of crematie is het raadzaam, dat U zich thans afvraagt of U wel hoog genoeg verzekerd bent. Onze vertegenwoordiger zal U gaarne hierover van advies dienen.'

Ach, die schat van een verzekeringsadviseur, meneer De Boer uit Wassenaar. Je geloofde hem voetstoots met die zingende glimlach. Toen hij met pensioen ging, kwam er een andere tussenpersoon die ook veel lachte. De remplaçant schoof Willems meteen een originele woekerpolis in de schoenen. Je kunt het achteraf behoorlijk onbenullig noemen dat zij in blind vertrouwen tekende voor een contract dat volgens de oorspronkelijke afspraken pas op 71-jarige leeftijd tot uitkering zou komen. Je dacht er geen seconde aan dat de adviseur met deze lange looptijd vooral zijn eigen portemonnee spekte: een provisie over premie x duur.

De meeste kapitaalverzekeringen leveren de tussenpersoon (in ieder geval tot en met 2009) een provisie op van 4 procent van de jaarpremie vermenigvuldigd met de duur van het contract met als extraatje 2 procent doorlopende provisie.

Dat geldt voor zowel de traditionele producten als de moderne beleggingsvariant. Uw adviseur werd door de geldverstrekker ook beloond voor de afgesloten hypotheek, variërend van 0,5 tot 2,5 procent over het leenbedrag. Uitgaande van een beleggingspolis die 2500 euro aan jaarpremie kost en een hypotheek van 200.000 euro met een looptijd van dertig jaar kan uw financieel adviseur een bedrag verdienen van ongeveer 11.000 euro, als u de 'hele rit' uitzit. Die nota wordt betaald door u, de consument. En het was nog wel zo'n vriendelijke meneer die uw kookkunsten prees en zelfs een beetje smakte bij het verorberen van uw zelfgebakken cake.

Zet nu eens de polis van 1949 met gegarandeerd kapitaal van 416 gulden en een totale premie van 208 gulden over de gehele looptijd, inclusief kosten en risicodekking tegenover de meeste moderne levensverzekeringen aan beleggingen gekoppeld. Geen verdubbeling van het ingelegde kapitaal, maar in de meeste gevallen een vermindering van een kwart of meer zoals in het vorige hoofdstuk is aangetoond. Zie hier het verhaal van de woekerpolissen in een notedop, zoals zo veel Nederlanders te wachten staat.

Yneke Schoneveld, tot voor kort werkzaam als tussenpersoon assurantiën in Den Haag en omstreken, heeft als verklaring voor de woekerpolisellende een fraaie analyse in de aanbieding waarin de fusie tussen banken en verzekeraars een hoofdrol speelt. Een botsing tussen twee culturen: die van de saaie, conservatieve verzekeraar waarop je inderdaad blindelings kon vertrouwen en de snelle bankjongens met navenante outfit. 'Maar de ballen verstand van de producten die ze moesten verkopen.' Vanaf 1990 staan de onopvallende Volkswagens en de felgekleurde BMW's op een en hetzelfde parkeerterrein. 'Vroeger waren verzekeraars conservatief, sociaal en rechtvaardig. Als de klant een keer niet kon betalen, kwam het de volgende keer wel.'

Sinds 1990 krijgen de aandeelhouders een voet tussen de deur van dit tot voor kort conservatieve bastion. 'Tussenpersonen en inspecteurs heetten plotseling accountmanagers en werden opgezadeld met "targets". Jaarlijks werden de doelstellingen met 10 procent verhoogd.' In die snelle wereld van de superwinsten moest wel iemand de prijs betalen voor de luxe plus aanverwante bonussen: de klant. Die werd mondiger geacht dan een paar decennia daarvoor, en veranderde ook anderszins in rap tempo, volgens Schoneveld. 'Vroeger kon de klant met moeite een begrafenispolis betalen en wat geld opzij zetten voor een pensioentje. De toegenomen welvaart uitte zich in hogere salarissen, mooie snelle kostuums, een glimmende lease-auto, minimaal twee keer per jaar op vakantie, een huis met de laagst mogelijke hypotheek, een pensioen met Zwitserlevengevoel. Lenen werd beschouwd als sparen met terugwerkende kracht.'

De Autoriteit Financiële Markten heeft inmiddels vanaf de Amsterdamse Vijzelgracht de jacht geopend op de tussenpersonen, een groep die de toezichthouders voor het gemak opdelen in tweeën: de zuiver door provisie gedreven 'cowboys' of 'postenverkopers', en de goede adviseurs die zich laten leiden door wensen en mogelijkheden van hun klanten. Maar hoe herken je de 'goede Nederlander'?

Dick Krikke uit Dordrecht leerde het vak bij de Centrale, later overgegaan in Reaal. Hij werd pas aangenomen nadat hij had kunnen aantonen abonnee te zijn van *Het Vrije Volk* en de *Varagids* las. Zo rood als een kers en opgevoed volgens de normen en waarden van de rode haan. Daar ging Dick op zijn fietsje dubbeltjes en kwartjes incasseren bij zijn klanten. Schiedam was zijn rayon. De administratie bestond uit een stempelkaart. 'Dan zei je tegen de mensen: sluit die polis nou maar af, want het is goed voor je. Sommigen vroegen nog: wie zegt dat? Dan zei ik: dat zeg ik. Zo deed je dat. Verzekeren was een kwestie van 100 procent vertrouwen.'

Bij sommige klanten komt hij ruim 35 jaar later nog steeds thuis, alleen niet meer op de fiets. Maar wat ziet hij? 'De klant is hartstikke kritisch geworden. Zelfs ik word nu gewantrouwd.' Hij kan niet goed verwoorden hoeveel woede en frustratie de houding van AFM en politiek hem bezorgen. Vuilniszakken vol. 'De verzekeraars proberen nu heel sluw de schuld af te schuiven op de tussenpersonen en adviseurs. Juist de kleine bureaus, de zogeheten papa-en-mamakantoren, worden het zwaarst gestraft.'

Hij heeft met eigen ogen gezien hoe 'provisiejagers' rijkelijk werden beloond door verzekeraars en banken in de vorm van bijvoorbeeld 'leuke reisjes' naar de wereldkampioenschappen voetbal, met overnachtingen in vijfsterrenhotels. 'Nationale-Nederlanden is er beroemd mee geworden. En groot.' Eerlijk gezegd heeft hij zelf ook weleens op de viptribune gezeten, al was het dan 'maar' bij Europese voetbalkampioenschappen. Maar begrijpen we wel dat een goede tussenpersoon die misschien ook goed verdient, zijn klanten wel dertig jaar moet begeleiden bij langlopende contracten? Daarom ziet hij niets in uurtarieven voor (van provisie) onafhankelijke adviseurs, zoals de AFM nu wil promoten. 'De meeste consumenten kunnen helemaal geen 150 euro per uur betalen voor een financieel advies.'

Over de woekerpolissen: 'Wij maakten offertes aan de hand van tabellen, 9 of 12 procent rendement. Minder kon helemaal niet. En dan moet je nu de klant gaan uitleggen dat hij of zij uitkomt op een negatief rendement. Kom op, zeg! Ook in de zogenaamde veilige polissen zitten veel verborgen kosten, hoor.' Maar je moet naar zijn idee als polishouder ook kunnen beseffen dat geld 'wegvloeit' naar de dekking voor overlijdensrisico. Je zegt toch ook niet bij een autoverzekering na een jaar schadevrij rijden: zonde van die premie.

We moeten ook niet doen alsof de verzekeringsmaatschappijen vroeger door types als moeder Teresa werden geleid. 'De maatschappijen zijn rijk geworden van de premies die door onze ouders zijn ingelegd bij begrafenispolissen. Het ging misschien om bedragen van 500 of 800 gulden, maar dat was met "hard geld" door de meeste Nederlandse huisgezinnen bij elkaar gespaard.' Krikke wil er maar mee zeggen dat een gulden uit 1958 verhoudingsgewijs vele malen duurder is. Denk maar niet dat de bazen als kippen op hun gouden eieren zijn gaan zitten. De centjes hebben ze heel verstandig belegd, vooral ten gunste van zichzelf. 'Het grote graaien is al begonnen in de jaren zeventig.'

Prachtig, dat de grenzeloze hebzucht nu ter discussie wordt gesteld. Maar dan niet ten koste van de kleine jongens, de tussenpersonen. 'Wij zijn het klootjesvolk en dat wordt altijd 'gepakt. Als er een echte les moet worden geleerd van de woekerpolissen, pak dan de grote bedrijven aan. De veroorzakers met hun valse offertes, hun vette bonussen. Het feodale stelsel bestaat nog altijd: de kleine man betaalt de rekening.'

Wisten we wel dat nog voordat de AFM bestond assurantiekantoren ook moesten voldoen aan bepaalde minimumeisen? De verzekeraars mochten helemaal geen zaken doen met verkopers die niet voldeden aan de gedragscode. 'Het heette GIDI-proof. De hoofdletters staan voor Gedragscode Informatieverstrekking Dienstverlening Intermediairs. Aegon en Nationale-Nederlanden werkten met verkoopkantoren en callcenters die helemaal niet voldeden. Dat wist iedereen. Ik maakte er een keer een opmerking over bij een bijeenkomst van Nationale-Nederlanden in het Rotterdamse hoofdkantoor. De gespreksleider ontkende dat. Toen ik zei dat ik zo een lijst kon overleggen met minstens tien namen van kantoren die niet voldeden aan de eisen, vertelde hij mij dat ik gast was in zijn gebouw en me daarnaar zou moeten gedragen.'

Denken we nu echt dat iemand zich bekommert om de miljoenen woekerpolishouders? Laat Krikke niet lachen! Er

liggen genoeg goede en eenvoudige oplossingen voor het op-
rapen, hoor, zeker waar het om toetsing van de betrouwbaar-
heid van tussenpersonen gaat. 'Gewoon een garantiesysteem
opzetten zoals in de reisbranche te doen gebruikelijk. Voldoen aan hoge eisen en schade eventueel vergoeden. En de
rotte appels worden geroyeerd, makkelijk zat.' Hij voorspelt
een geweldige scheefgroei daar waar het nu (bij de woekerpolissen) om echt verhaal halen gaat. 'Die zogenaamde belangenbehartigers doen het echt niet voor niets. Wat mij ver-
baast is dat organisaties als FNV en CNV hun juridische expertise niet ter beschikking stellen van de kleine man.'

Je zult hem niet horen zeggen dat het geen tijd is voor een
grote schoonmaak, Theo Jonker, financieel adviseur in
Noord-Nederland. Maar, zo vraagt hij zich hardop af: slaan
we niet te ver door? Waar je in een jong verleden maximaal
drie uur nodig had om een hypotheek af te sluiten, moet je nu
minimaal drie gesprekken uittrekken. Regels komen, regels
gaan. 'Plotseling kon iedereen assurantieadviseur zijn. Je zag
van de ene op de andere dag voormalige sporters en half bekende Nederlanders het vak oppakken. Met een simpele opleiding was je klaar. Dat mocht van de toenmalige ministers.
Markt verziekt? Hupsakee, trekken we de teugels weer aan.'
Van hem mag de beerput open, maar consumenten be-
scherm je niet door ze te overladen met een papierberg aan
formaliteiten. De cowboys roei je er niet mee uit. 'Ik ben polissen tegengekomen die pas gingen uitkeren op tachtigjarige
leeftijd. Denk daarbij aan het sommetje premie maal duur
maal provisie. Eerlijk waar! En dan ging het om een eindkapitaal van ruim een miljoen in guldens. Daar heeft alleen de
tussenpersoon wat aan gehad.' Zijn verzekeraar (Reaal) was
allang gewend jaarlijkse waardestaten te sturen aan de klanten, toen vanaf 2008 ook de grote 'collega's' daartoe verplicht
werden gesteld door de overheid. 'Wij hebben hier op kan-

toor wel zitten gniffelen. "Dit wordt lachen," heb ik tegen collega's gezegd, "nu moeten ook de grote jongens met de billen bloot." Wij wisten al dat de offertes vroeger veel te optimistisch waren opgesteld.' Het kan zo simpel zijn: terug naar de basis en de klanten vertellen wat ze nodig hebben.

Er wordt nu net gedaan alsof Nederland bewoond wordt door 17 miljoen imbecielen. Gepensioneerd verzekeringsadviseur Gerard van Zundert probeert in Wateringen zo veel mogelijk empathie te laten doorklinken in zijn stem, voor zover dat mogelijk is bij zo'n brute vaststelling. 'Neem de snelle jongens die het liefst begrafenispolissen slijten aan jonge gezinnen: vrouw, man, twee kinderen en die verzekeren voor 10.000 euro per persoon. Dat levert algauw 800 euro per persoon op, maal vier is 3200 euro. Lekker snel verdiend met een uurtje werk. Deze klanten zijn een jaar of tien bezig voordat ze de provisie hebben terugbetaald. En straks zegt de Tweede Kamer dat dat toch echt niet de bedoeling kon zijn.'

Je moest eens weten hoeveel klanten (Van Zundert had er 10.000 voordat hij met pensioen ging) meenden dat hoge rendementen van de woekerpolissen gegarandeerd waren. 'En ik maar uitleggen dat hoe hoger het rendement is, hoe hoger ook het risico.' Maar het is waar: hij kon vroeger niet eens voorbeelden geven van eindkapitalen met een winstmarge van een veilige 4 procent. Het is verkeerd gegaan toen de hoogte van de provisies de bocht uitvloog, volgens zijn zeggen van 2 of 3 procent naar marges van wel het viervoudige. 'De tussenpersonen keken helemaal niet meer waar ze de beleggingspolissen onderbrachten, maar kozen voor de maatschappij die het best beloonde. Tiel Utrecht, een onderdeel van Nationale-Nederlanden, groeide zo de pan uit. Er kwamen steeds meer snelle jongens op de markt die in recordvaart rijk wilden worden.'

Hij heeft ook weleens twintig mille verdiend op een dag

door een torenhoge hypotheek af te sluiten. Reken maar uit: 2 procent over een miljoen. Dat zijn de zondagen in je arbeidsleven, maar wat verdien je nu helemaal aan bijvoorbeeld een aansprakelijkheidsverzekering van een paar tientjes? En hoe moeten die verrekend worden, wanneer adviezen straks alleen nog op uurbasis moeten worden afgerekend, zoals de AFM dat graag ziet? 'Geen hond in de Tweede Kamer die zich daarom druk maakt.'

Hij gelooft niet dat overheid, verzekeraars en politiek echt hebben geleerd van de woekerpolissen. Daarvoor is de lobby, waarbij iedereen naar iedereen loert bij de belangenbehartigers, te veelomvattend. 'Ik ken lobbyisten van Aegon die toch minimaal twee keer per week een bezoekje brachten aan het Binnenhof. De macht heeft zich misschien een beetje verplaatst van verzekeraars naar banken. Maar de invloed is nog erg groot. Er wordt nog steeds niet tijdig ingegrepen. Kijk naar DSB: als de beerput echt opengaat, is de stank niet meer te harden.'

Vroeger is definitief voorbij. Adviseurs, kleine of grote kantoren, betalen volgens Van Zundert tussen de 1200 en 1500 euro voor hun eigen toezicht aan de AFM. 'En dan moet je om de anderhalf à twee jaar punten halen voor je vakdiploma om te voorkomen dat dat wordt ingetrokken.' Hij heeft meneer De Boer goed gekend. Die tufte nog met zijn vrouw op de vrije zaterdag naar die ene klant in Limburg of Friesland. Tussenpersonen als meneer De Boer uit Wassenaar zijn uitgestorven, alleen nog maar tot leven te wekken door overgeleverde verhalen. De hebzucht heeft het definitief gewonnen van de klantvriendelijkheid.

De naam van Marijke Willems is om redenen van privacy gefingeerd.

7 Feest bij Legio Lease

Ander product, zelfde gevolgen. In het jaar 2000 begonnen tienduizenden bezitters van zogeheten leasecontracten in te zien dat ze verkeerd waren voorgelicht. Een stormloop op de Nederlandse rechtbanken dreigde. Hier ligt het scenario van wat er juridisch met de woekerpolissen kan gebeuren. Eerst schuldgevoel (dom dat ik me zo heb laten beetnemen), dan ontkenning die langzaam overgaat in pure woede en vervolgens met de banieren geheven de strijd aangaan.

Wat heeft 'aartsvader van het volkskapitalisme' Piet Bloemink (1944) te maken met de orkaan van de woekerpolissen die zich ontwikkelt boven de grote verzekeringskantoren? Welnu, hij kreeg niet alleen bouwvakkers, huisvrouwen en politieagenten aan het beleggen, zijn op het eerste gezicht briljante idee om daarbij geld te lenen, leidde uiteindelijk tot een nog niet eerder vertoonde stormloop op de rechtbank. Vooral Dexia, het arme Belgisch/Franse bedrijf dat op goedkope manier voet aan de grond dacht te kunnen krijgen op de Nederlandse markt, moest het daarbij ontgelden.

De uitvinders en ontwikkelaars van het volkskapitalisme met lenen als uitgangspunt, Bloemink en in zijn directe voetsporen bank Labouchere en Aegon met Jos Streppel als toenmalige baas, konden zich met de grootst mogelijke snelheid uit de voeten maken, alhoewel Aegon er niet helemaal zonder kleerscheuren vanaf kwam. Het juridische steekspel dat al acht jaar gaande is, kan als opmaat dienen voor wat er het komende decennium met de woekerpolissen zal gaan gebeuren.

Bloemink, afkomstig uit het Noord-Hollandse Bergen, had het vermogen om geld te ruiken, hoewel hij vaak beweerde daar juist figuurlijk gesproken zijn neus voor op te halen. Hij heeft een leven lang gehandeld, eerst in drukwerk ('Parochieblaadjes en zo') en later pinda-automaten, televisies, video's, advertenties. Als hij er maar handel in zag, met winst als doel vanzelfsprekend. 'Geld hoeft je niet te interesseren,' zei hij in een interview met *de Volkskrant*, 'maar het is wel de prijzenkast van een ondernemer. Een zakenman die nooit geld verdient, doet zijn werk niet goed.' En zo bedacht hij op een dag in 1990 de mogelijkheid om met geleend geld te gaan beleggen. 'Je kunt alles leasen, dus waarom dan geen geld?' Eureka! Onbegrijpelijk vond Piet Bloemink het dat banken en vermogensbeheerders 'de kleine particulier' zo lang over het hoofd hadden gezien. Want: nergens zo veel emotie als bij beleggen met aandelen.

Die emotie kwam in grote stromen op gang, toen twee toestellen bestuurd door strenggelovige terroristen de Twin Towers in New York binnenvlogen en daarbij niet alleen ruim 3000 levens vernietigden, maar ook de zo rooskleurige beleggingsrendementen in rook deden opgaan. Een jaar eerder had Nina Brink de internetzeepbel helpen doorprikken met haar opportunistische beursgang van World Online. Het gevolg was dat 'de kleine particulier' met zijn of haar geleende geld de mooie winsten, bezongen in fraai geschreven brochures, in twee klappen zag verdampen en opgescheept bleek te zitten met een restschuld. Want ja, lenen kost nu eenmaal geld.

Ready to kill. Zo luidde les één in het handboek waarmee Legio Lease, het bedrijf dat het zogeheten leasen van aandelen introduceerde, de telefonische verkopers hersenspoelde. De beëdigde colporteurs, zo schrijft Aart Brouwer in *De Groene*

Amsterdammer, wisten eigenlijk nauwelijks iets over juridische en economische zaken, maar geloofden wel heilig in de werking van de 'winstverdriedubbelaars' en 'vermogensvliegwielen'. 'Ga voor de spiegel zitten, knoop je boordje los en zeg met dwingende stem tegen jezelf: er zijn twee soorten mensen, beleggers en slaapmutsen. Jij bent geen slaapmuts en gaat op een gemakkelijke manier heel veel geld verdienen. Herhaal die woorden tot je ze kunt uitspreken zonder te stotteren of in de lach te schieten. Nu ben je professioneel verkoper van aandelenleasecontracten.'

De ronkende advertenties waarmee aarzelende kopers over de drempel werden getrokken, waren een idee van Piet Bloemink, die wist dat de gevestigde banken en andere serieuze verkopers van financiële producten zouden gruwen van 'de casinoachtige uitstraling met een flinke stapel poen op de voorkant en een schreeuwende tekst'. 'Maar de miljoenen stroomden binnen,' zegt de uitvinder in *Quote*, dat hem in 2000 op de 414ste plaats schatte van de top-500 van Nederlandse miljonairs. Zijn vermogen zou op dat moment ongeveer 75 miljoen gulden bedragen.

'Jonge-hondenbank' Labouchere, later onderdeel van Aegon, nam de winstfabriek in 1995 over en zag op tijd het licht (door de handel door te verkopen aan Dexia), voordat het sprookje als een nachtkaars uitging door de kelderende beurskoersen. En niet te vergeten: door het besluit van het zwalkende ministerie van Financiën om de fiscale voordelen van consumptief geldkrediet te schrappen in datzelfde rampzalige jaar 2001. Juist deze belastingvoordelen waren de aanjager geweest voor het grote succes om met geleend geld aandelen te kopen.

Bloemink voelde zich een onbegrepen apostel, die het evangelie van het grote geld ook voor jan met de pet wilde prediken. De boodschap van zijn advertentieteksten luidde: haal het geld terug dat de afgelopen jaren in de zakken is verdwenen van de hoge heren, Jan! Onderzoek van het Centrum voor Marketing Analyses toonde aan dat de nieuwe beleggers vooral bestonden uit avontuurlijke jongemannen met 'een hoog Pietje Bell-gehalte'. Pietje dus in plaats van Jan. Maar de colporteurs, aldus *De Groene Amsterdammer* in 2003, deinsden er ook niet voor terug hun provisie op te halen 'bij asielzoekers, analfabeten en verstandelijk gehandicapten', die ze hun handtekening lieten zetten onder wat in veel gevallen een financieel doodvonnis zou blijken.

Toen het luchtkasteel eenmaal was ingestort en polishouders tot de ontluisterende ontdekking kwamen dat ze met geleend geld hadden gespeculeerd, bleek de schade aanzienlijk en uniek voor Nederlandse begrippen. Volgens gegevens van Dexia heeft het bedrijf 713.540 contracten (bij 394.486 personen) in omloop gebracht, waarvan medio oktober 2005 ruim 574.000 beëindigd waren met een koersverlies van gemiddeld 3000 euro per contract.

De Stichting Toezicht Effectenverkeer (opgevolgd door AFM) becijferde in 2001 dat polissen (voornamelijk door Fortis, Aegon en Legio Lease verkocht) gemiddeld bijna 10.000 euro per stuk kostten. Dexia meldde in 2003 dat de restschuld van uitstaande contracten op dat moment 2,2 miljard euro bedroeg. Er waren inmiddels al veel dreigbrieven naar klanten gestuurd om de schulden snel te saneren, voordat incassobureaus frequente bezoekers zouden worden.

Menig gedupeerde weet het aanvankelijk aan eigen stommiteit en schaamde zich. 'Dat gevoel overheerste echt: eigen schuld, dikke bult,' vertelt Piet Koremans, een van de initiatiefnemers van de vereniging Payback in 2002 en zelf een van de tienduizenden gedupeerden. 'Er was in het begin ook totaal geen belangstelling in de media.'

Inmiddels weet Koremans hoe je de media en politiek moet mobiliseren om je recht te halen. Zijn expertise kan goed van pas komen in de affaire met de woekerpolissen, waarbij vergeleken Legio Lease een peuleschil is. Hij verwacht eenzelfde scenario: eerst schuldgevoel, dan ontkenning, langzaam overgaand in pure woede, waarna gedupeerden met geheven banieren de strijd aangaan.

Bij de leasecontracten was volgens Koremans sprake van grove misleiding. 'De eerste doelgroep betrof de rijkere consument en die was er zonder veel kleerscheuren vanaf gekomen. Daar waren hele adressenbestanden van. Die mensen hebben er ook heel goed aan verdiend dankzij de toen nog van optimisme stuiterende beurzen. Maar toen het belastingvoordeel begon weg te vallen, stortten de aanbieders zich onder aanvoering van Aegon op de kleine klant. Dat bedrijf is de hoofdschuldige in dit verhaal.' De desinteresse van de media verdween na artikelen in *De Telegraaf* en een opzienbarende uitzending van *Tros Radar*. Druppelsgewijs volgden de andere media.

In het begin trok voormalig beroepsmilitair Koremans op met de stichting Leaseverlies, opgericht door de advocaten William Schonewille, Jurjen Lemstra en jonkheer Gilles Hooft Graafland in samenwerking met VEH (Vereniging Eigen Huis), VEB (Vereniging van Effectenbezitters) en de Consumentenbond. Zij zouden later ook een hoofdrol gaan spelen in de onderhandelingen voor compensaties voor de gedupeerden met woekerpolissen. 'De stichting deed de rechtszaken en wij zorgden voor de tamtam daaromheen.'

Wat in elk geval doorging waren de demonstraties in diverse steden waar gedupeerden zich symbolisch ophingen door een lus om hun nek te draperen. Het begon met een handjevol demonstranten, maar groeide aan tot een paar honderd. 'Wij hamerden er bij de slachtoffers op dat ze waren misleid en daarmee naar buiten moesten treden. Als je wordt opgelicht, moet je dat vertellen. En zo verschenen langzamerhand de verhalen van de gedupeerden in de kranten en op televisie.' Het tij was niet meer te keren voor Dexia en Aegon, die hadden gerekend en gehoopt op de doofpot en niet op de schandpaal.

Koremans had zich zelf in 1999 laten verleiden door de paginagrote advertenties. Uitknippen, handtekening eronder, een kind kan de was doen. 'Er werd met geen woord gesproken over leningen, alleen over inleg en de hoofdsom.' Nadat hij besefte wat hij zich in de maag had laten splitsen, richtte Koremans voor lotgenoten het Platform Aandelen Lease op. 'Het zijn over het algemeen geen hoogopgeleide mensen die het slachtoffer zijn geworden van deze praktijken. Het gaat vaak om brave luitjes die niets durven en afwachten tot anderen de kastanjes uit het vuur halen. Ik heb het platform ook opgericht omdat de Stichting Leaseverlies, die opkwam voor de gedupeerden, nooit antwoord gaf op kritische vragen. Dat was ook ondoenlijk voor die Stichting met ongeveer honderdduizend aanmeldingen. Wij zijn toen zelf op zoek gegaan naar advocaten met verstand van zaken, verdeeld over heel Nederland. We zochten bijvoorbeeld uit of een gedupeerde eventueel recht had op rechtsbijstand.'

De omslag in de publieke opinie was voor een groot deel te danken aan de veelal door Koremans georkestreerde demonstraties. 'Ik heb een goed netwerk opgebouwd onder journalisten en politici. Ik ging geregeld op bezoek bij leden van de Tweede Kamer, maar leerde al snel dat zo'n gesprek niet voldoende was. Kamervragen waren vaak een rechtstreeks gevolg van opzienbarende tv-programma's of verhalen in de kranten en tijdschriften. Het was heel belangrijk dat de schrijnende gevallen in beeld kwamen. Wij zorgden voor demonstraties op het Binnenhof, als we wisten dat er die dag vragen zouden worden gesteld door Agnes Kant van de Socialistische Partij. Je wist dan bijna zeker dat het *Journaal* er een item aan zou wijden.'

Kamerdebatten met de 'leasegekte' als onderwerp, de toenemende belangstelling in de media en de steeds grotere druk op minister Zalm waren de aanleiding voor de oprichting van een commissie, de beproefde methode wanneer Nederland op zijn achterste benen staat. De bevindingen van deze commissie-Oosting vormden uiteindelijk de basis voor de Duisenbergregeling, de schikking die is genoemd naar de voormalige directeur van De Nederlandsche Bank.

De affaire ontwikkelde zich tot een strijd tussen grootkapitaal en de kleine onverzettelijke burger. Koremans: 'Dexia wilde eigenlijk al eerder schikken, maar niet zonder toezeggingen van Aegon, waarvan immers de achteraf waardeloos gebleken inboedel was overgenomen. Het Nederlandse bedrijf wilde absoluut van geen wijken weten, zette nog meer dan voorheen de hakken in het zand, aanleiding ook voor Dexia om dan zelf maar rechtszaken te beginnen tegen consumenten die weigerden langer te betalen.' Vrouwe Justitia was het Belgisch/Franse bedrijf aanvankelijk gunstig gezind. Procedures aangespannen door de Stichting Leaseverlies eindigden in klinkende zeges van de verzekeraars, die al meenden met de schrik vrij te kunnen komen. De nederlagen hadden ook te maken met het feit dat collectieve procedures in het Nederlandse rechtssysteem weinig kans van slagen hebben.

'Leaseverlies ging af,' zegt Koremans. 'Wij voerden inmiddels gesprekken met onze eigen advocaten, die weer te rade gingen bij andere collega's. Je moest op individuele basis het verzaken van zorgplicht bewijzen, in sommige gevallen kon dwaling worden aangetoond. We begonnen zaken te winnen. En Dexia, dat klanten had gedaagd die weigerden hun maandpremies te blijven voldoen, durfde niemand meer te dagvaarden.' De rechtbank ontaardde in een slagveld voor Dexia, dat geen gebruik kon maken van de Nederlandse lobbyisten, werkzaam in de wandelgangen van het Binnenhof. Naar schatting van experts heeft het buitenlandse bedrijf al minimaal twee miljard verloren aan de vele rechtszaken.

Toen kwam in februari 2005 als een duveltje uit een doosje een persbericht van De Nederlandsche Bank, Dexia en Aegon, waarbij laatstgenoemd bedrijf met ruim 200 miljoen over de brug kwam. Het was ook de basis voor de Duisenbergregeling. Deze schikking, geldig voor alle gedupeerden die hun handtekening wilden zetten, kostte de maatschappijen naar schatting één miljard. De Stichting Leaseverlies bracht het nieuws naar buiten als ware het een grote triomf, maar Koremans noemt het een pyrrusoverwinning en ziet sterke overeenkomsten met de recente schikkingen bij de woekerpolissen.

'Ik durf wel te zeggen dat de Duisenbergregeling van tevoren bekokstoofd is door De Nederlandsche Bank, Dexia, het ministerie van Financiën en de Stichting Leaseverlies. De laatste partij kon zich manifesteren als grote held in plaats van verliezer. De advocaten hadden immers 1 miljard uit de strijd gesleept. Maar je kunt evengoed beweren dat ze tussen de 5 en 6 miljard, naar schatting de werkelijke schade van de gedupeerden, hebben laten liggen. Extra lokkertje was nog dat degenen die zich hadden aangemeld bij de Stichting hun inschrijfgeld van een paar tientjes terug zouden krijgen. Dat is typisch Nederlands hoor, je door zo'n luttel bedrag te laten verleiden. En als extra aanmoediging werd nog vermeld dat "ja" zeggen tegen de regeling, niets meer of minder dan een compromis, vrijblijvend was en ruimte zou blijven bieden voor een beslissing om toch te gaan procederen.'

Ook weer een leugen om spontaan kaal van te worden, zegt Koremans. Want nog nooit is zo snel een wetsvoorstel dat een collectieve regeling toestond door de Tweede en Eerste Kamer geloodst, in dit geval door minister Donner. Het ging immers om miljarden en niet alleen de toekomst van Dexia stond op het spel maar ook die van andere aanbieders van leaseproducten zoals DSB, Fortis, ABN Amro en Nationale-Nederlanden. Op 25 januari 2007 beschikte het Gerechtshof van Amsterdam dat de betreffende wet (Collectieve Afwikkeling Massaschade) algemeen bindend moest worden verklaard. Beleggers die niet akkoord gingen met het Duisenbergdouceurtje kregen tot 31 juli 2007 de gelegenheid om met een zogeheten opt-out hun wens verder te procederen kenbaar te maken. Twee dagen later meldde Dexia dat 165.300 klanten akkoord gingen, 24.700 rebelse consumenten bleven strijden tot de laatste euro.

Het laatste woord over de juridische touwtrekkerij is nog steeds niet gezegd. Claimadvocaten (zie hoofdstuk 9) hebben de ene na de andere overwinning behaald voor hun aanhoudende cliënten. Koremans verwacht eenzelfde scenario voor aanhouders bij de woekerpolissen, waar de schade vele malen groter is dan die bij de leasecontracten. Het gaat om dezelfde hoofdrolspelers met dezelfde advocaten (de kar die ze trekken heet nu Stichting Verliespolis) en hetzelfde in zijn ogen krakkemikkige compromis, waarbij de naam van Wim Duisenberg is vervangen door die van Jan Wolter Wabeke.

Cees Roelofs uit Doorn, een andere ervaringsdeskundige, heeft een boek geschreven over zijn juridische schermutselingen, getiteld *Schijnwerper op het bedrog van Legio Lease en de rol van onze rechtspraak. Een analyse van de werkelijkheid.* En van die werkelijkheid word je niet vrolijk. De schrijver suggereert in zijn werk misleiding en bedrog door de rechters, 'waarbij de Hoge Raad de kroon spant'. Hij doelt daarbij met name op de uitspraak van 5 juni 2009, die bijna letterlijk de Duisenbergregeling in de praktijk toepast (een fooi in de ogen van deze criticaster), reden voor Dexia om alle andere rechtszaken voorlopig in de ijskast te plaatsen, totdat de ultieme uitspraak is gedaan. In een brief van oktober 2009 aan de Hoge Raad der Nederlanden betoogt Roelofs dat 'naar mijn overtuiging honderdduizenden mensen eerst door de leasebank, daarna door de Duisenbergregeling en ten slotte door de rechtspraak tot in hoogste instantie zijn bedrogen'.

Je zou bijna denken aan omkoping, 'en ik heb ook echt overwogen om dat te schrijven', zegt hij later, want uiteindelijk gaat het volgens de auteur om vriendjespolitiek. Ons kent ons. 'Sommige rechters hebben als advocaten gewerkt voor verzekeringsmaatschappijen. Probeer dan maar eens onafhankelijk recht te spreken in een affaire die eigenlijk 6 miljard zou moeten kosten. Ze hebben te maken met een netwerk dat, laten we het netjes zeggen, wel tot preoccupatie móét leiden. De consument had maar beter moeten opletten. Willens en wetens is de wet gebruikt voor een uitspraak die zo dicht mogelijk ligt bij wat de Duisenbergregeling is gaan heten.'

Roelofs beperkt zich in zijn brief van oktober 2009 tot vijf blunders van het hoogste rechtsorgaan. In de gebruikelijke juridische abracadabra, volkomen onbegrijpelijk voor nietjuristen, redeneert de Hoge Raad onder meer: 'De omstandigheid dat Dexia in strijd met de op haar rustende zorgplicht niet uitdrukkelijk en in niet mis te verstane bewoordingen heeft gewaarschuwd voor het risico van een restschuld leidt niet tot het oordeel dat de brochure misleidend is.' Die conclusie, even krom als het taalgebruik, veroorzaakt schuim op de lippen van de criticaster uit Doorn. 'De farmaceut die op de bijsluiter alleen de werkzaamheid van het medicijn noemt en veelvoorkomende ernstige bijwerkingen niet, is net zo misleidend bezig als de leasebank die alleen de (geringe) winstkansen noemt, maar de veelvoorkomende grote risico's van het beleggingsproduct onvermeld laat.'

Voor Roelofs staat vast dat dit soort producten alleen maar verkocht kunnen worden dankzij misleiding van de consument. 'Ik kan brochures laten zien waarin Aegon naar aanleiding van de overname van Legio Lease teksten schreef: dit feest gaan we met jullie vieren met een nieuw product, speciaal voor jullie: de winstvertiendubbelaar. Alsof het om pakken waspoeder ging, zo onnozel.' Maar ja, er dan toch intrappen als intelligente volwassene. 'Je gaat er niet van uit dat je zo ongelooflijk belazerd wordt!'

Hij citeert graag uit een opinieverhaal van emeritus-hoogleraar Sociologie Gerrit Kuiper in *Trouw*. 'De ervaring van elke dag,' schrijft de hoogleraar, 'leert ons hoe belangrijk het is dat de ene mens de andere kan vertrouwen. Als er geen vertrouwen is, wordt de samenhang in de samenleving bedreigd, dan wordt het samenleven moeilijk en soms onmogelijk gemaakt.' Zijn conclusie: 'Een samenleving waarin onderling vertrouwen wordt ondermijnd, vereist controle van de controleurs.'

Wat kun je nog van de Nederlandse rechtspraak verwachten, wanneer de Hoge Raad bij zijn salomonsoordeel over Dexia stelt 'dat de vermoedelijke verwachting van een gemiddeld geïnformeerde, omzichtige en oplettende consument bij kennismaking met de verstrekte informatie' misleiding uitsluit? Antwoord van de schrijver uit Doorn: 'Als de maatstaf de gemiddelde consument is dan betekent dit dat ongeveer de helft van de consumenten/bevolking slim genoeg geacht wordt om door de mooie praatjes heen te kijken. De andere helft is niet slim genoeg maar dat is dan jammer. Hadden ze maar slimmer moeten zijn.'

Roelofs' boek gaat niet over eigen financiële uitglijders, maar is het verhaal van een bevriende gedupeerde, ook niet bepaald een typisch voorbeeld van een jan met de pet of Pietje Bell. Vooral de zogeheten winstverdriedubbelaar had een enorme aantrekkingskracht. Daarvan gingen ruim 500.000 polissen over de toonbank. Zijn vriend kreeg 'dankzij' de Duisenbergregeling 5387 euro aan schadevergoeding, een fopspeen, want hij bleef verbijsterd achter met een verlies van 34.090 euro.

En dat is dus, redeneert de schrijver cynisch, wat de claimadvocaten van Verliespolis onder leiding van William Schonewille en jonkheer Gilles Hooft Graafland in een recent artikel in *Het Financieele Dagblad* 'een met succes afgesloten massaclaim' durven te noemen. Laat hem niet lachen. 'Ik heb berekend dat Dexia ondanks de schikkingen nog altijd op rendementen van 6,4 (driejarige contracten) of 12,8 procent (tienjarige contracten) kan bogen.' De gedupeerden blijven zitten met een schade in de orde van grootte van 5 of 6 miljard, zo rekent Roelofs voor op zijn Japanse zakcomputer.

In zijn boek trekt hij vergelijkingen met de praktijken in de Amerikaanse hypothekensector en verwijst daarbij graag naar een uitspraak van Herman Wijffels, bewindvoerder bij de Wereldbank in New York en voormalig voorzitter van de SER. 'Daar zijn mensen verleid huizen te kopen die ze niet konden betalen om zo leningen te kunnen verschaffen waaraan heel veel geld is verdiend. Het was gewoon een roofpartij.' De roverhoofdmannen gaven de aanzet voor de wereldwijde kredietcrisis. Van Roelofs mag je zonder aarzelen het woordje 'huizen' in het citaat van Wijffels vervangen door 'leasecontracten'. Ja, roversbenden zijn actief in Nederland, en het ergste van alles is: de rechtspraak verleent naar zijn stellige overtuiging hand- en spandiensten aan de bedriegers. 'De laatste uitspraak van de Hoge Raad betekent dat Nederland een paradijs wordt voor oplichters.'

8 Korting Kado

Als voormalig docent journalistiek moet Ton van Dijk het goede voorbeeld geven. Jarenlang liep hij met een wijde boog om 'mannetjes' heen die beweerden dat ze dubbeltjes konden omzetten in goudstaven. Een schop onder de kont konden ze krijgen. Maar ja, al die prachtige verhalen in de media over geluksvogels die wél in de op volle snelheid rijdende janplezier waren gesprongen! Precies op het verkeerde moment liet Van Dijk zich verleiden tot een product van Dexia met een veelbelovende naam: Korting Kado. 'Een warm gevoel stroomde door mijn lijf. Ik hoorde erbij.'

Ton van Dijk is onderzoeksjournalist en een linkse jongen die zijn afkomst nooit heeft verloochend. Of misschien toch twee keer, waardoor hij in aanraking kwam (als consument en niet als journalist) met de wereld van het grote geld. En net als alle 'mislukte beleggers' precies op het verkeerde moment in de wijdopen staande val van Legio Lease trapte. Een mooie naam had de betreffende variant wel: Korting Kado.

Hoe vaak had hij in het verleden de financieel adviseurs die hem wilden bekeren tot het geloof van het volkskapitalisme niet de deur uitgewerkt? Meestal nog net niet met een schop onder hun kont als bonus. 'Er belde iemand op,' schrijft Van Dijk in een fraai artikel in *HP/De Tijd*, december 2005, 'hij had een idee. Ik hoopte op een grote primeur. De man kwam en vroeg of de radio uit kon, anders kon hij zich niet concentreren. Ik vond hem raar. Hij liet een dubbeltje zien.

"Wat is dit?" Ik weigerde antwoord te geven. Geheel uit zijn humeur vervolgde hij zijn lesje: "Dit is een dubbeltje. Wat denkt u dat het waard zou zijn als uw voorouders, de Batavieren, het op een bank hadden gezet?" Deze vraag kon ik niet beantwoorden. Hij liet een foto zien. Een gezinnetje zat stralend van geluk op een goudstaaf ter grootte van een spoorbiels.'

Volgde de beschrijving van een fonds, 'Rolinco of Robeco, daar wil ik vanaf wezen', maar de journalist, die hoopte op een primeur, wilde af van de gladjakker. 'Op de trap schold hij mij uit voor sufferd; ik zou spijt krijgen. Hij kreeg gelijk.' Van Dijk schrijft in december 2005 dat hij zich een paar jaar later toch 'door een verzekeringsmannetje' liet verleiden tot een levens- annex spaar- annex beleggingspolis van Delta Lloyd. Hij kon er alle kanten mee op, succes gegarandeerd! Slechts een kleine verplichte maandelijkse inleg was voldoende.

'Mijn vrouw zei: sparen lukt ons toch nooit, laawwehetmaardoen,' schrijft Ton van Dijk. 'We kregen regelmatig bericht hoe onze inleg vorderde en of we al boven de honderd – nominaal heette dat in vakjargon – waren gegroeid. Na een paar jaar had ik het cijfer honderd nog nooit gezien, laat staan méér. Als je goed keek, zat het in de buurt van zeven. Ja, dat kwam, zei ons mannetje, omdat de aanloopkosten zo hoog waren. Op het moment dat afkoop kon, heb ik dat direct gedaan. Koers iets boven de zeventig, inclusief afkoopkosten was meer dan 30 procent van ons ingelegde geld verdwenen in ons mannetje en het monster Delta Lloyd.'

Hoe het mogelijk was weet hij nog steeds niet, maar het blad *FiscAlert*, op dat moment nog eigendom van Piet Bloemink, had zijn adres in Friesland achterhaald en begon materiaal te sturen om hem te besmetten met het geldvirus. Vriendelijke, deskundig ogende professoren, fiscalisten, actuarissen, economen en topbeleggers schreeuwden hem vanaf felgekleurde pagina's toe om zo snel mogelijk in de op volle snelheid rijdende janplezier te stappen. 'Maar ik dacht altijd: dat is niets voor ons soort mensen. Ik twijfelde ook heel lang over het kopen van een huis. Als arbeiderskind moest je huren. Het was al prachtig dat ik regelmatig een salaris kreeg overgemaakt.'

Achteraf praten is zo gemakkelijk. Had hij zich maar eerder laten overhalen, dan had hij misschien ook nog een graantje kunnen meepikken uit de korf met goud. 'De eerste serie van de leaseproducten ging een paar keer over de kop, de koersen zaten in een straaljager. Dat blad, *FiscAlert*, ging er ook steeds professioneler uitzien. Dan had je ook nog de succesverhalen in de kranten. Daar blinken onze media in uit: in hordes aanhollen achter de Nederlanders die wind mee hebben. Je hebt het bij Dirk Scheringa gezien en eerder Erik de Vlieger, voormalig handelaar in naaimachines. Die werd omschreven als leuke jongen op gymschoenen die voor alles en iedereen zo goed zorgde. Zo zouden mensen eruit moeten zien in een betere wereld.' Het imago van 'de leuke Amsterdammer' wiens vermogen in de hoogtijjaren op 125 miljoen euro werd geschat, kwam in een vrije val na een reeks juridische aanvaringen.

Om een lang verhaal kort te maken: de arbeidersjongen die zo goed kon beschrijven wat er mis is in de grote boze mensenwereld liet zich 'als een blind konijn' in het hol lokken van Piet Bloemink, dat toen al was betrokken door Aegon. 'Ik begon mezelf een slappe, stilstaande lul te vinden,' schrijft hij in *HP/De Tijd*, 'iedereen schoot me links en rechts voorbij. 's Nachts zeurde en knaagde het. AOW en nog een handvol bij elkaar te schrapen pensioenjaren – het vooruitzicht maakte me niet vrolijk. Toen viel de folder van Korting Kado in de bus. Legio Lease kocht voor een x-bedrag aandelen voor je, het bedrag betaalde je in tien jaar af, dan kreeg je een pakketje aandelen en dat zou aangegroeid zijn tot wel drie keer het ingelegde bedrag. Nog mooier: het was vrijwel zeker dat Legio Lease na drie jaar al zo veel voor je verdiend had dat je niks meer hoefde te betalen. Dat was het Kado, dat onbegrijpelijke geheim van de callopties. Als een verdoofde junk tekende ik een aanvraagformulier voor 25.000 gulden. Een warm gevoel stroomde door mijn lijf. Ik hoorde erbij.'

De dollartekens in zijn ogen maakten plaats voor doffe blikken van verbijstering, toen hij bij alle commotie over leasecontracten in kranten en in het programma van *Tros Radar*, eindelijk begreep dat het ook om hem ging, antibelegger van huis uit. Het duurde nog een tijdje voor het dubbeltje, in een ver verleden voorgesteld als een spoorbiels van goud, bij Van Dijk viel. 'Ze hadden het over rare, fancy constructies als de winstverdriedubbelaar en vertiendubbelaar. Maar ik was van Korting Kado en had immers op mijn zakjapanner uitgerekend dat ik in die tien jaar ruim het inlegbedrag betaald zou hebben. De winst van Legio Lease zat in calletjes en putjes. Een kleine rimpeling op de beurs, dat gebeurde wel meer. Ik had nog alle tijd: wie dan leeft (in 2009) wie dan zorgt.'

Van Dijk kwam er in 2002 achter met geleend geld te hebben gespeculeerd. Hoe dom kun je zijn? Op dezelfde zakjapanner die hem in een eerder stadium nog vrolijk had gestemd, rekende hij uit dat zijn Korting Kado was veranderd in een bodemloze put waarin hij geacht werd de komende zeven jaar 114,29 euro per maand te storten. 18 procent aan woekerrente. In het gunstigste geval zou hij boven op die woekerrente op de einddatum voor zijn min of meer waardeloze aandelenmandje nog zo'n 6000 euro bij moeten betalen, in het ongunstigste geval ongeveer het dubbele. Het jongetje dat niet kon rekenen, zou aan aflossing en rente met het ontluisterende verlies van in totaal tussen de 20 en 25 mille (euro's) blijven zitten. Welke knoppen hij ook indrukte: dat was de boodschap van zijn zakjapanner.

Hoe kun je zo stom zijn? Het alternatief om het contract

voortijdig te beëindigen bleek nog duurder dan het eventuele verlies nemen de komende jaren en er bleef deze gedupeerde niets anders over dan zich aan te melden bij de Stichting Leaseverlies tegen betaling van 50 euro. Hopen en bidden op gerechtigheid. En o ja, hij moest zijn vrouw ('die nooit heeft geloofd in dit soort geintjes') nog inlichten over zijn besmetting door het geldvirus. 'Degenen die op het hoogtepunt van de beurs instappen, zijn de echte sufferds,' zegt hij. 'Je was toch gek als je niet profiteerde van de beurs. Het was alsof het geld gratis werd uitgedeeld op het Damrak.'

Zijn vrouw, die veel van hem houdt, heeft hem het avontuur vergeven. En daar was gelukkig ook Hendrik Jan Bos, die op een goed moment zijn levenspad kruiste. Dat kwam door Van Dijks volharding om Jan Veerman te spreken te krijgen voor een mooi verhaal. De man was in 'zijn' Volendam tot persona non grata uitgeroepen, omdat hij de eigenaar was van het pand waar in de oudejaarsnacht van 2000 op 2001 de brand uitbrak die zo veel plaatsgenoten het leven kostte of verminkte.

Uiteindelijk werden zijn vele verzoeken beloond ('Als journalist was ik, geloof ik, niet zo dom'), mede dankzij Hendrik Jan Bos. De advocaat, 'voor wie verzekeraars de deur sluiten, als hij in de buurt wordt gesignaleerd', had een zwak voor de volksjongen die zo goed schrijven kon. En dat laatste kwam Bos ook goed uit, want hij is niet vies van mooie publiciteit. 'Dexia begreep maar niet waarom een man als hij zich druk maakte om die paar centen van mij, want er waren ook gedupeerden die tonnen hadden gestoken in de leaseproducten.'

Het fijne, zo heeft hij advocaat Bos moeten beloven, kan hij niet vertellen, omdat er sprake is van een zogeheten herenakkoord. Dat betekent geheimhoudingsplicht. Maar zijn geheugen is vandaag gelukkig zo slecht dat hij wel wil vertellen uiteindelijk 'ongeveer quitte' te hebben gespeeld. Ongeveer. Het was ongelooflijk stom geweest dat hij, terwijl de zaak nog lang niet rond was, het woord richtte tot Leo Spigt, de advocaat van tegenpartij Dexia, die hij goed kende van diens tijd als voorzitter van Radio Stad Amsterdam. 'Daar heb ik jaren in een forum gezeten.'

Woedend was Bos, toen hij hoorde van de strapatsen van zijn nieuwe vriend. Van Dijk: 'Wat ik had gedaan, spreken met de vijand, was levensgevaarlijk. Wat ook moest van Bos, was ogenblikkelijk stoppen met betalen van de maandpremies aan Dexia. Vrijwel onmiddellijk volgden de dreigbrieven van een incassobureau en je kreeg meteen een notering bij BKR in Tiel. Ik mocht me er niets van aantrekken, zei Bos.' Uiteindelijk kwam het goed uit dat mevrouw Van Dijk het contract van Legio Lease niet had ondertekend. Op die omissie (het ontbreken van de handtekening van de partner van de speculerende domoor onder het contract) is de leasemaatschappij vaak onderuitgegaan in de rechtszaal.

Door zijn toevallige ontmoeting met Bos is Van Dijk er goed vanaf gekomen, vergeleken met de meeste andere gedupeerden. Inmiddels heeft hij genoeg krediet opgebouwd (geparkeerd op een veilige internetspaarrekening) voor een redelijk onbezorgde oude dag. Hij kan zichzelf met een gerust hart afschilderen als een schlemiel die zijn les heeft geleerd. Laat hem maar een voorbeeld zijn voor al die andere goedgelovige Nederlanders. Hij heeft nog één tip: hoed u voor al die zogenaamd barmhartige samaritanen die zich in steeds grotere aantallen opwerpen om gedupeerde polishouders te beschermen.

9 Claimadvocaten

Claimadvocaten staan klaar om de gedupeerde bezitters van woekerpolissen te begeleiden in de doolhof waar het recht moet zegevieren. De verzekeraars die zelf hun ziekmakende polissen met hulp van de duurste advocaten hebben dichtgetimmerd, spreken graag over 'jakhalzen'. Veel Nederlanders zien af van actie, alsof ze denken dat het erbij hoort: je af en toe financieel flink laten belazeren. Claimadvocaat Hendrik Jan Bos: 'Aan de huisarts vertellen dat ze een geslachtsziekte hebben is makkelijker dan bekennen dat ze zich hebben laten foppen bij de aankoop van een woekerpolis.'

'Zakkenvullers' worden ze genoemd, de advocaten die in een vroegtijdig stadium doorkregen dat de zogeheten Duisenbergregeling bij de Dexia-affaire weinig om het lijf had en vooral was bedoeld om een opstand van de massa te vermijden. 'Jakhalzen,' zeggen de verzekeraars. Over hun eigen jakhalzen, die vorstelijk worden betaald om lastige klanten via moedeloos makende processen monddood te maken, hebben ze het uiteraard niet.

Ger van Dijk, initiatiefnemer van Consumentenclaim (dat gedupeerde woekerpolishouders op no-cure-no-paybasis bijstaat), noemt zichzelf liever ondernemer dan jurist. Hij organiseerde na de bekendmaking van de in zijn ogen waardeloze schikking bij de Dexia-affaire een grootscheepse reclamecampagne om zijn boodschap uit te dragen: neem vooral geen genoegen met de fooi van Duisenberg. Hij huurde er zalen voor af in Van der Valk-restaurants, waarop naar eigen zeggen 50.000 gedupeerden afkwamen. Met steun van voornamelijk juist afgestudeerde advocaten bekeek hij in welke gevallen de kansen realistisch waren om op steun van rechters te kunnen rekenen. 'Op piekdagen werkten we met 180 juristen, voornamelijk freelancers; anno 2010 zijn het er vijftig. Maar straks, als de verwachte golf van woekerpoliszaken over ons heen komt, kunnen we zo weer uitbreiden.'

Klanten betalen hem alleen als de rechtszaak wordt gewonnen. Zijn ondernemingen (met Leaseproces werden de Dexia-klanten bijgestaan) worden beschouwd als een winstfabriekje. In Nederland wordt daar al snel met gevoelens van opperste walging op gereageerd: geld verdienen over de ruggen van ellende van anderen. Maar dat die is veroorzaakt door nog veel grotere winstfabrieken wordt gemakshalve even vergeten. 'We zijn geen moeder Teresa,' zegt de initiatiefnemer ten overvloede in een modern Amsterdams kantoorpand. Wanden vol grijze ordners en een zee van bureaus waarachter voornamelijk jonge juristen zich buigen over dikke dossiers. De zaken die veel op elkaar lijken, worden op dezelfde wijze bevochten door de tegenpartij, die gespecialiseerd is geraakt in het oprichten van schijnbaar ondoordringbare muren van papier, verweerschriften. Ieder dossier is een labyrint.

Ger van Dijk weet dus ongeveer wat hem en zijn medewerkers te wachten staat als de ontevreden woekerpolisklanten zich gaan melden. In theorie zouden het er minstens 150.000 moeten zijn, de getallen van leasecontracten als ijkpunt nemend. 'Ze zullen wachten totdat de brief van de verzekeraars in huis is, waarin wordt medegedeeld of ze compensatie kunnen verwachten en in welke orde van grootte. Daarbij zal het in de meeste gevallen gaan om hooguit een paar honderd euro. Heeft niets te maken met schadevergoeding en bovendien uit te keren aan het einde van de looptijd.

Maar je zult zien: de meeste mensen pikken het weer, net zoals dat bij de Duisenbergregeling is gebeurd. De schikking is bereikt door heel serieuze partijen, dus de consument denkt dat het wel zo zal horen.'

Van Dijk begrijpt wel waarom de woekerpolisaffaire niet adequaat wordt opgepikt in de publieke arena. De verzekeraars goochelen met getallen waardoor je door de bomen het bos niet meer ziet – ook goede journalisten en politici niet. Bovendien gaat het hier om abstracte, niet te bevatten schade. Het viel veel gemakkelijker te begrijpen dat je met geleend geld ging beleggen en daardoor met restschulden bleef zitten, zoals bij Dexia. Ook gemakkelijk te begrijpen was één echte zondaar, zoals bij DSB het geval was. Schijfschieten en altijd raak. 'Bij Legio Lease kon je nog beweren dat het de klanten ging om speculeren en snel rijk worden. In het geval van de woekerpolissen spreek je in de meeste gevallen van dagelijkse levensbehoeften, verzekeringen die je moest afsluiten om je hypotheek te kunnen aflossen of te zorgen voor je oude dag. Wat hier gebeurd is met alle verborgen kosten vergelijk ik graag met de melkboer die vroeger water bij de melk deed. Net zoals je verwacht een liter zuivere melk te kopen, zo denk je ook dat verzekeringsmaatschappijen met gevestigde namen als Nationale-Nederlanden en Aegon je een eerlijke deal aanbieden.'

Ger van Dijk zegt in 2004 aansluiting te hebben gezocht bij de instanties die zich opwierpen als beschermheiligen van de vele gedupeerde leasecontractanten. Maar telkens werd de deur voor zijn neus dichtgesmeten. 'Ik ben ook nog bij de Consumentenbond geweest, maar daar zeiden ze dat ik me vergiste. Ik voelde vanaf het allereerste moment dat het fout zat bij Legio Lease. De Consumentenbond heeft in het verleden de fout gemaakt de producten aan te prijzen in de *Geldgids*, in elk geval niet af te kraken. Dus die mensen moesten hun handen in onschuld wassen en wilden zo snel mogelijk van mij af. Ik denk dat De Nederlandsche Bank uiteindelijk de aanzet heeft gegeven voor een grootscheepse schikking. Duisenberg heeft daar in feite niets mee te maken. Die schikking (tweederde terug van de restschuld) komt gewoon uit de hoge hoed van Dexia.'

Net zoals sommige andere criticasters in dit boek sterk de indruk hebben dat de schikkingen (zeker die bij de woekerpolissen) het resultaat zijn van voortreffelijk lobbywerk van 'de Bordewijklaan', waarbij optimaal gebruik is gemaakt van 'vriendjes' in de politiek en bij de rechterlijke macht, zo denkt Van Dijk ook dat het ideale scenario ten gunste van de schuldige is geschreven. In de wetenschap dat het overgrote deel van de slachtoffers, allang blij met iets minder schade, opgelucht akkoord zal gaan. 'Waarom zouden we de gedupeerden een goede deal aanbieden, zo redeneren verzekeraars en banken, als we weten dat 95 procent toch kiest voor een slecht alternatief? En inderdaad bleef bij Dexia slechts 5 procent over die ging procederen. Dat ga je nu ook weer krijgen bij de woekerpolissen. Het overgrote deel gaat akkoord met een slechte deal. Het is een wetmatigheid. We hebben het hier gewoon over dieven, hoor. Dankzij de enorme verwevenheid van "het netwerk" wordt misbruik gemaakt van de situatie. Karla Peijs, nu commissaris van de Koningin in Zeeland, heeft weer een commissariaat bij Aegon. Altijd gehad, alleen moest ze er even tussenuit in de tijd dat ze minister was. Zet alle politici die nu verbonden zijn aan banken of verzekeraars maar op een rijtje. En dan zie je dat er sprake is van "ons kent ons". Ze vullen elkaars zakken, terwijl dat natuurlijk altijd wordt ontkend. "Hebzucht" is hier het sleutelwoord. De kleine luiden pikken het wel dat zij de prijs uiteindelijk betalen, net zoals dat vroeger ging toen de edelen zich alles konden permitteren ten koste van het gewone volk.'

Deze praktijken passen volgens hem bij de wijze waarop schadeverzekeraars grote claims behandelen. Dertig jaar premie betalen voor het risico van brand en dan bakkeleien als je huis op een kwade dag inderdaad in de fik vliegt. 'Stel, u krijgt een auto-ongeluk,' vervolgt Van Dijk, 'en raakt voor uw leven lang arbeidsongeschikt. De schade wordt berekend en er komen allerlei experts langs. Laten we zeggen dat de maatschappij uw schade raamt op 3 miljoen aan misgelopen inkomsten. Dan komen ze doodleuk met een voorstel van zes ton en vragen: wat denkt u daarvan? Als je dan verontwaardigd wijst op je rechten, zeggen ze: ga maar procederen, kijken we of u inderdaad het bedrag krijgt dat u wilt. Je bent jaren verder voordat er een definitieve uitspraak is. Zo werkt dat hier in Nederland.'

De verzekeraars zouden wel anders piepen, als de rechter nu eens een schade verdubbelt, als de schuldvraag zo duidelijk is als bij de woekerpolissen. Dan zou het misschien snel zijn afgelopen met de gebruikelijke ontmoedigingstactiek om kritische klanten zo lang mogelijk aan het lijntje te houden.

Veel Nederlanders denken dat het erbij hoort: je af en toe financieel flink laten belazeren. 'Ja, dat is Calvijn, die zit heel diep bij ons ingebakken. Als bank of verzekeraar mag je de boel wel belazeren en we vinden het prima, als er ook iemand voor gestraft wordt. Als stichting mag je gedupeerden ook helpen, dan staat iedereen te juichen. Maar zodra een commerciële instelling als de onze zich meldt, komt Calvijn om de hoek kijken. Dat mag niet. Bij die stichtingen heb je ook niet te maken met moeder Teresa's. Die declareren via een achterdeur de stichting leeg. Dat mag wel. Het is zo hypocriet als wat.'

De voormalige specialist in het faillissementsrecht liet zich uitschrijven uit de Orde van Advocaten om te kunnen doen wat in Nederland eigenlijk verboden is: klanten begeleiden bij massaclaims op basis van no cure, no pay. Hij maakt geen enkel geheim van zijn prijzen: 15 of 30 procent van het bedrag 'opgehaald' bij een gewonnen rechtszaak. De courtage is mede afhankelijk van de hoogte van het eigen risico. Belachelijk vindt hij de kritiek van dreigende 'Amerikaanse toestanden', het gevaar van zijn manier van werken illustreren met gruwelijke voorbeelden van mensen die van de straat worden geplukt om een nepongeluk te ensceneren.

Hendrik Jan Bos, 'de schrik der banken', voorgesteld in het vorige hoofdstuk, vergelijkt de situatie graag met het sur place van baanwielrenners: ze komen tot stilstand om maar vooral niet als eerste te hoeven aanvallen. 'Want de renner die als eerste aanvalt, verliest vaak. Ook verzekeringsmaatschappijen gebruiken die tactiek. Ze kijken, wachten, en blijven zo lang mogelijk stilzitten, waardoor de gedupeerden er zo laat mogelijk achter komen dat ze belazerd zijn.'

Bos wil niet beweren dat rechters ook meedoen aan dit spel, maar hij beticht hen wel van gemakzucht. 'Je hebt nu eenmaal rechters die bang zijn voor een stortvloed aan procedures. Dat zag je ook bij Dexia, waar een aantal zich graag wilde beroepen op de Duisenbergregeling. Dan moet je echt beuken als advocaat en de rechter vriendelijk verzoeken om toch zorgvuldig naar deze specifieke zaak te kijken. Je maakt daar geen vrienden mee, maar rechters hoeven ook niet van mij te houden, als ze mijn klanten maar serieus nemen.'

Een probleem bij de vaak complexe financiële rechtszaken is dat rechters over het algemeen niet uitblinken in wiskundig inzicht, terwijl veel van de dossiers rekenkundige hoogstandjes zijn. Niet voor niets zijn de meeste wanproducten die nu in de schijnwerpers staan ontworpen door de knapste bollebozen van de tegenpartij. Advocaten en rechters zijn vaak voormalige alfaleerlingen, als je het zo zwart-wit mag stellen, terwijl het hier gaat om bedenksels van voormalige bètaleerlingen. 'Rechters zijn in ieder geval meestal niet cijfermatig georiënteerd. Daarom is het vaak moeilijk uit te leggen waarom iets wel of niet deugt.'

'De schrik der banken' schrikt er niet voor terug bij rechtszaken simpele rekenvoorbeelden te geven op een flip-over. Stukje voor stukje legt hij uit wat er mis is gegaan bij de complexe en voor de gemiddelde consument nauwelijks te begrijpen producten. Heel bewust en met wat je een vooruitziende geest mag noemen, heeft Bos zich als jonge advocaat teruggetrokken uit het vak om in de keuken te kijken van Robeco, destijds de grootste producent van beleggingsproducten. 'Dat was een jaar of twintig geleden. In Nederland waren er een stuk of zes advocatenkantoren werkzaam die beschikten over specialisten op het gebied van beleggen, maar die stonden allemaal aan de kant van verzekeraars en banken. Ik dacht: als ik mezelf nu eens school op dit gebied en aan de kant van de consument ga staan, dan is eenoog koning in het land der blinden.'

Tweeënhalf jaar is hij ertussenuit geweest. 'Bij Robeco maakten we allerlei moderne beleggingsproducten zoals het clickfonds. Als je weet hoe een auto in elkaar wordt gezet, is het veel eenvoudiger om hem stukje bij beetje weer uit elkaar te halen. Dat is eigenlijk mijn strategie geworden wanneer ik cliënten moet bijstaan in hun zaken tegen banken en verzekeraars.' En zie: zijn nichekantoor is inderdaad koning in het land der blinden met enkele klinkende successen op zijn naam, die helaas niet wereldkundig mogen worden gemaakt wegens geheimhoudingsplicht. Hij heeft ook al fantastische schikkingen bereikt bij woekerpolissen met vele tonnen als inzet.

Bos kritiseert de in zijn ogen makke opstelling van belangenbehartigers bij de schikkingen. Compromissen, zoals betrokkenen zelf ook toegeven. 'Maar een compromis zou ik alleen maar sluiten als ik zwak sta. Mijn strategie zou zijn procederen en zo hard mogelijk vechten. Als je met 4-0 denkt te kunnen winnen en het staat al 3-0, bied je geen gelijkspel aan.'

Een complot vindt hij een groot woord, maar opvallend

vond Bos het wel dat de stichting die de in zijn ogen belab-
berde schikking met Dexia had getroffen er als de kippen bij
was om te gaan strijden namens de miljoenen houders van
min of meer waardeloze woekerpolissen. 'Het gaat altijd om
dezelfde poppetjes. De stichtingen die zeggen op te treden
namens gedupeerden hebben de plannen al heel vroeg klaarliggen, doen aan goede marketing en krijgen veel zendtijd bij
consumentenprogramma's om te komen vertellen hoe goed
ze wel niet bezig zijn. Vervolgens lopen de gedupeerden als
makke schapen de fuik in. En als ze erin zitten zeggen de
stichtingen: wij zijn de belangrijkste belangenbehartiger,
want de meeste gedupeerden hebben zich bij ons aangesloten.'

Maar wat heeft de consument aan een belangenbehartiger
die zijn vijand niet, net als hijzelf, in de hoogste boom wil jagen? 'Het was een stommiteit om een rechtszaak tegen Dexia
te beginnen op grond van misleidende reclame. Wat voor een
hoogleraar Economie niet misleidend is, is dat voor de groen-
teman op de hoek wel. Die zaak win je nooit voor een grote
groep van zeer uiteenlopende gevallen! Daardoor had de pro-
cedure van begin af aan weinig kans van slagen. Dat maakt
onderhandelen voor de tegenpartij een stuk eenvoudiger.
"Wij zullen niet zeggen dat jullie niet goed geprocedeerd hebben, jullie krijgen de credits en dan kost het ons wat minder."
En nu wordt de meute, veel groter dan destijds bij de leasecontracten, met een zoethoudertje het bos ingestuurd.' Verzekeraars houden uiteraard meer van vriendelijke stichtingen
dan van veel moeilijker hanteerbare belangenbehartigers die
voor individuele of kleine groepjes gedupeerden de strijd
aangaan.

Tijdens een proces voor een klant kwam Bos er bij toeval
achter dat hij een jaar of tien geleden zelf een woekerpolis
had afgesloten. 'Ik weet precies wat al die mensen voelen: ze
schamen zich voor wat zij beschouwen als financiële uitglij-

ders. Aan de huisarts vertellen dat ze een geslachtsziekte hebben is makkelijker dan bekennen dat ze zich hebben laten foppen bij de aankoop van een woekerpolis. Want dan zou de buitenwacht weleens kunnen denken dat ze ook slecht en dom zijn in hun vak.'

Bos bezocht vijftien jaar geleden met een bevriende actuaris een van de bijeenkomsten waar Piet Bloemink zijn leasecontracten aanprees. Die vriend begreep onmiddellijk dat beleggen met geleend geld enorme risico's inhield bij koersdalingen. De 'uitvinder' wilde zijn opmerkingen niet staande de vergadering beantwoorden. 'In de pauze zei hij dat mijn vriend wel gelijk had, maar dat het te ingewikkeld was om aan de grote groep uit te leggen.' Het is voor de advocaat nog steeds een mysterie hoe Dexia de inboedel van Aegon ('Op het eerste gezicht een slagroomtaart, maar in de praktijk een tikkende tijdbom') heeft kunnen overnemen. 'Dexia moet toch grondig onderzoek hebben gedaan naar de aan te kopen producten? Waarom hebben ze die tikkende tijdbom dan niet opgemerkt?'

De woekerpolissen zijn een herhaling van zetten. Slagroomtaarten blijken tikkende tijdbommen te zijn en iedereen staat erbij en kijkt ernaar. Van de stichtingen hebben gedupeerden volgens Bos niet veel te verwachten. 'Dat is de meest dictatoriale rechtspersoon die het Nederlandse recht kent. Je hebt bestuurders en een Raad van Toezicht, meestal bemand door mensen die goed kunnen opschieten met het bestuur. De spelers die het voor het zeggen hebben, zijn weer aardig voor elkaar. Er komt een schikking uit die volgens de stichtingen een gouden deal is, maar niets voorstelt. De consumenten denken: het komt goed, ik word straks gecompenseerd. De mens is dom en leert niet snel. Ik verwacht dat de meeste gedupeerden vrijwillig in de fuik van de stichtingen zullen lopen. Je zult zien: de makste schapen worden altijd het wreedst geslacht.'

Bos acht de kans groot dat rechters straks verwijzen naar een 'breed maatschappelijk aanvaarde' schikking, zoals dat ook met Duisenberg in de hoofdrol gebeurde bij de leasepolissen. 'Het gemene van die zogenaamde compensatie is dat consumenten de werkelijke schade pas over tien of twintig jaar, als hun polissen vrijkomen, aan den lijve ondervinden. En dan zijn die domme schapen te laat. Misschien bestaan de verzekeringsmaatschappijen in kwestie dan niet eens meer, maar zo ver kijken ze helemaal niet bij die clubs. Als de grote massa maar weer in de val is gelokt.'

Toezichthouders staan er volgens Bos handenwrijvend bij. 'De AFM? Het is eerder een lijkschouwer dan de afdeling EHBO. Ik heb de instantie weleens vergeleken met een patholoog-anatoom. Deze toezichthouders weten heel goed wat er fout is gegaan, achteraf. Het zou prettig zijn als ze ook eens zouden voorkómen dat het fout gaat.'

10 Sorry

*Is het niet raar, zegt jonkheer mr. Gilles Hooft Graafland,
dat een stichting als 'zijn' Verliespolis de kastanjes uit het
vuur moet slepen bij een groot maatschappelijk probleem
als de woekerpolisaffaire? Aan de compensatieregeling
voor de gedupeerden ging een 'afhoudrace' vooraf om gek
van te worden. 'De verzekeraars willen eenvoudigweg niet
inzien dat ze fout zijn geweest. Ze weigeren "sorry" te zeggen en vinden nog steeds dat de hele schikking is afgedwongen door politiek en publiciteit.'*

Jonkheer mr. Gilles Hooft Graafland is een man met historisch besef. Aan de muren van zijn kantoor hangen stillevens
van prins Willem V en koning Willem I. Je ziet meteen hoe de
gezagsverhoudingen tussen publiek en monarch waren. Kom
daar vandaag de dag maar eens om.

Als advocaat was hij gespecialiseerd in effectenrecht. Sinds
zijn pensioen in 2001 is Hooft Graafland adviseur van Ba-
rentsKrans, gerespecteerd kantoor van advocaten en notarissen, gevestigd te Den Haag, residentie van koningen en ko-
ninginnen. Hij heeft een reputatie opgebouwd in rechtszaken
met massaclaims.

Hij filosofeert eerst over de tijdgeest. 'Dankzij de enorme
productieverhogingen, hand in hand met moderne techni-
sche middelen als internet, heeft de westerse wereld grote
welvaart kunnen verwerven. Arbeiders en middenstanders
gingen ook beleggen, wat vroeger alleen voor de elite was
weggelegd. Maar goklust zit door de eeuwen heen ingebak-

ken in de Nederlander! Duitsers en Belgen beleggen niet, of in elk geval veel minder dan Nederlanders dat doen. Neem de eerste grote krach ooit, de zogeheten bubbel van de tulpenmanie. Krankzinnige bedragen werden destijds geboden voor een zeldzame tulpenbol. De "kleine luiden" deden er net zo goed aan mee, aangemoedigd door de koopmansgeest van de voc, de Verenigde Oostindische Compagnie. Die zeepbel werd eeuwen geleden al doorgeprikt.'

En nu zijn de 'kleine luiden' in veel grotere aantallen de bocht uitgevlogen? Jawel, zo mogen we het wel formuleren van de jonkheer. 'Onvoldoende opleiding en opvoeding om de risico's goed in te schatten van agressief aan de man gebrachte producten. Men vertrouwde de financiële instellingen en dat vertrouwen is nu helemaal weg. He-le-maal weg!!!' Dat schijnen die financiële instellingen maar niet te snappen en dat vindt de jonkheer onbegrijpelijk. Je kunt proberen de schuld in de schoenen te schuiven van de avontuurlijke volksaard van Nederlanders ('Denk je dat de gemiddelde Fransman een effectenportefeuille bezit?'), maar kijk als veroorzaker eerst eens goed in de spiegel.

De verzekeraars kwamen na een rampzalig voorpaginaverhaal van *De Telegraaf* en een zo mogelijk nog desastreuzere uitzending van *Tros Radar* (november 2006) in spoedvergadering bijeen. De interesse van de media was gewekt door een onderzoekrapport van de afm, waarvan de vertrouwelijke gegevens eerder dat jaar waren uitgelekt. De aanvankelijk geheime conclusies waren vernietigend voor de verzekeraars: onvoldoende voorlichting, tot en met zelfs misleiding en zeer hoge kosten, waardoor een groot deel van de premie niet kon worden belegd.

Niemand zal het publiekelijk bevestigen, maar insiders bevestigen dat 'de lekkage' op naam moet worden geschreven van functionarissen 'hoog in de boom' bij een van de vijf onderzochte verzekeraars. De goed geïnformeerde journalist Bart Mos, die al enige geruchtmakende verhalen over woekerpolissen op zijn naam had staan, wijdde in *De Telegraaf* een voorpagina-artikel aan de vernietigende AFM-conclusies.

Dit was insiders wel opgevallen: probeer eens een afspraak te maken met een van de hoogste bazen bij de grote verzekeraars en je bent over drie maanden aan de beurt. Misschien. Maar nu zaten ze daar in Den Haag aan één tafel de dag na de jobstijdingen, gebroederlijk bijna, om te bespreken hoe de brand moest worden geblust; geen afspraak woog op tegen het belang van een gezamenlijk standpunt.

De jonkheer is er niet bij geweest, maar zullen de bazen daar aan die ongetwijfeld grote tafel ook naar elkaar hebben gewezen en zinnen hebben uitgesproken in de trant van: ja, we weten dat een aantal collega's niet zo netjes is omgesprongen met de klant, maar dat geldt natuurlijk niet voor ons? Want zo was het tot dusver altijd gegaan bij kritische verhalen en uitzendingen over te dure beleggingsproducten. Alle concurrenten deden eraan mee, 'wij' niet.

Gilles Hooft Graafland vertelt dat zijn stichting, opgericht om de gedupeerde polishouders te helpen, aanvankelijk gedoopt met de naam 'Onderzoek Poliskosten', eerst niets begreep van de complexe materie. Legio Lease was daarbij vergeleken een zacht gekookt eitje. Alleen was de schrik daar groter, omdat de betrokkenen met een schuld bleken te zijn opgescheept en een notitie kregen in Tiel bij het Bureau Krediet Registratie. Bij de woekerpolissen gaat het om ruim 1200 producten, allemaal net iets anders, op de markt gebracht door tientallen verzekeraars. 'We hebben hulp gezocht bij Alfred Oosenbrug, actuaris en voormalig hoogleraar.' De advocaten en betrokken partijen als de Vereniging Eigen Huis en de Vereniging van Effectenbezitters namen als leergierige scholieren in de schoolbanken plaats om zich te laten bijscholen. Aanvankelijk had Independer (vooraanstaand 'digitaal' financieel adviseur) zich aangesloten bij het collectief, maar zou zich onder druk van de verzekeringssector hebben teruggetrokken.

Oosenbrug gold in de ogen van het Verbond van Verzekeraars als de meest foute man voor onafhankelijk advies. Gerrit Zalm had als verantwoordelijke minister van Financiën dezelfde naam geopperd, toen nader onderzoek naar de woekerpolissen onmogelijk uit kon blijven. De Tweede Kamer, nog maar net bekomen van de Legio Lease-affaire stond op haar achterste benen. Er moest 'onafhankelijk onderzoek' komen. Het Verbond van Verzekeraars reageerde furieus op Zalms suggestie om Oosenbrug in te schakelen, alsof de duivel zelf de belangrijke onafhankelijke expertise moest leveren.

Oosenbrug staat bekend om zijn onafhankelijke manier van optreden. Hij zal nooit een blad voor de mond nemen, en misschien had de furieuze reactie vanaf de Bordewijklaan wel iets te maken met het recente verleden. Heel aannemelijk is dat de poten van de door het Verbond gefinancierde leerstoel zijn doorgezaagd door dezelfde financiers, juist omdat Alfred Oosenbrug te onafhankelijke meningen verkondigde. Hooft Graafland: 'Ze haten hem bij het Verbond. Het is een bijzondere persoonlijkheid, die het compromis niet kent. Maar voor onze stichting was hij de best mogelijke adviseur om de complexe materie te leren doorgronden.'

Oosenbrug is een praktijkman met een juridische inslag, een cijfertjesman die extreem kritisch is over de sector. Hij kent hun producten als zijn broekzak.

Zo kwamen de stichtingen er dankzij hem achter dat de verzekeraars sjoemelden bij het berekenen van de hoogte van overlijdensrisicoverzekeringen, vaak gekoppeld aan beleggingspolissen. Het kon tientallen procenten schelen ten gunste van de aanbieder. 'Een normaal mens houdt zulke praktijken toch niet voor mogelijk?' zegt Hooft Graafland.

Een conservatiever slag dan verzekeraars bestaat er bijna niet in de wereld. 'Probeer maar eens een beroep te doen op je reisverzekering. Afhouden, altijd maar weer afhouden. En dan zouden ze nu zomaar met grote schadevergoedingen over de brug komen? Dat kun je vergeten en dat maakte het onderhandelen ook zo moeilijk. Je hebt dan twee keuzes: naar de rechter gaan, maar dat gaat zeker jaren duren, of proberen te onderhandelen. Zij, de maatschappijen, kunnen blikken advocaten opentrekken en hebben daarvoor geld genoeg in reserve.'

De kredietcrisis bracht verandering. 'Die heeft een veel grotere rol gespeeld dan de meeste mensen beseffen. De politiek was inmiddels wakker geworden, vooral dankzij *Tros Radar*, en voor zover nodig hebben we daar nog een handje bij geholpen. We zijn bij Wouter Bos geweest, die in het nieuwe kabinet de plaats had ingenomen van Zalm, en die wilde achter de schermen ook meehelpen aan een oplossing. Ik ben ervan overtuigd dat minister Bos ook vond dat er een oplossing moest komen voor de woekerpolisaffaire. Zonder druk van het ministerie ging het niet.' Opeens kwam er een aanbod van topman Niek Hoek van Delta Lloyd. Alstublieft: 300 miljoen. 'Die man ziet de grote lijnen,' aldus de jonkheer, 'en zei dat het gedonder maar eens afgelopen moest zijn.'

De rechtszaak die Woekerpolis Claim en Consument & Geldzaken hadden aangespannen tegen Nationale-Nederlanden ging niet meer door. Het ging hier om een collectieve rechtsprocedure waarin 'vlaggeschip' Flexibel Verzekerd Beleggen, een peperdure woekerpolis, centraal stond. De belangenbehartigers wilden aantonen dat de voorlichting over kosten en risico's op grove wijze tekort was geschoten.

Daarna volgden de gebeurtenissen elkaar plotseling in razende vaart op. 'Toen viel Fortis om. Dat lag van de ene op de andere dag aan het infuus van Wouter Bos en Bernard ter

Haar, een belangrijke onderhandelaar van het ministerie van Financiën. Vervolgens gebeurde hetzelfde met SNS Reaal en het ING van onder meer Nationale-Nederlanden. Er was een geheel nieuwe situatie die niemand een jaar eerder had kunnen voorzien. Toen was het opeens een stuk gemakkelijker onderhandelen. De betrokken verzekeraars stonden plotseling veel meer open voor de dringende adviezen van het ministerie van Financiën.' ASR Fortis volgde na het relatief kleine Delta Lloyd en het grotere Nationale-Nederlanden (360 miljoen) met een schikking van 800 miljoen, een zeldzaam hoge schikking naar Nederlandse maatstaven.

De jonkheer zal nooit beweren dat de schikkingen een geweldig resultaat zijn, het blijft een compromis. 'Bedragen van 20 miljard, waarover professor Boot spreekt, waren onbespreekbaar. Dat had De Nederlandsche Bank nooit goed gevonden. Die keek over onze schouders echt wel mee of betrokken partijen de gevolgen van de regelingen konden dragen. Daar is deze toezichthouder vooral voor: het bewaken van de kredietwaardigheid van banken en verzekeraars. Wij waren er ook niet op uit om de grote partijen kapot te maken.'

Fortis wilde zijn goede wil wel tonen, maar kwam in de ogen van de schikkingsadvocaten met belachelijke voorstellen. En Nationale-Nederlanden volgde de oude vertrouwde tactiek: de boot afhouden. Zo was het destijds ook gegaan met Dexia en Legio Lease. 'Daar werden we aanvankelijk uitgelachen. De Frans-Belgische directie redeneerde heel simpel: wie wil gokken, moet ook op de blaren zitten. Nou ja, ze zijn inmiddels meer dan 2 miljard kwijt aan procederen. Hun hele investering is in rook opgegaan. Ze hadden beter meteen kunnen schikken.'

Wat Hooft Graafland het meest heeft verbaasd bij alle besprekingen met de verzekeraars is dat ze niet inzien dat ze fout zijn geweest. 'Ze weigeren "sorry" te zeggen en vinden nog steeds dat de hele schikking is afgedwongen door politiek en publiciteit. Ik vind het ook vreemd dat stichtingen als Verliespolis en Woekerpolis Claim de kastanjes uit het vuur moeten halen voor een probleem waarbij miljoenen Nederlandse huishoudens zijn betrokken. De steun van de Consumentenbond was verwaarloosbaar.'

Hij verwijst naar een vergelijkbare affaire in Groot-Brittannië (*mis-selling endowments*, beleggingshypotheken met veel te optimistische, onrealistische offertes). De FSA, vergelijkbaar met de AFM, nam daar het voortouw voor grootscheepse schadevergoedingen van ruim 4 miljard euro.

Bovendien legde de *Financial Services Authority* 'foute verzekeraars' miljoenen aan boetes op. Dat bleek dé manier om schoon schip te maken. Het ging bij deze beleggingshypotheken om dezelfde trucs als bij de Nederlandse woekerpolissen. Met onrealistisch hoge rendementen werden klanten gelokt, die niet begrepen dat hoge kosten werden gemaakt ten gunste van provisies. Het potje om de hypotheek mee af te lossen bleef om te huilen zo leeg. In 2003 begrepen de Britse consumenten al hoe ze bij de neus waren genomen. De ombudsman (*Financial Ombudsman Service*) kreeg gemiddeld 250 klachten per dag. Tot en met 2007 moest hij 237.007 keer in actie komen, relatief vaak met succes voor de bedrogen klant. Pas daarna daalde het aantal 'woekerklachten' over beleggingshypotheken, hoewel het er in 2008 en 2009 nog altijd ruim honderd per week waren.

De Britse verzekeraars, opgejaagd door de hoge boetes van de FSA, hebben vanaf 2003 hun leven gebeterd. Ze werden verplicht helderheid te verschaffen in het aanvankelijk evenzeer onbegrijpelijke verzekeringsjargon. Als de rendementen achterbleven bij de verwachtingen en het risico groot was dat het doelkapitaal niet zou worden gehaald, moest de betreffende polishouder een zogeheten '*red letter*' ontvangen, waarna de klant in de regel nog drie jaar de tijd had om een klacht

in te dienen. Die kleur stond ook symbool voor het schaam-
rood op de wangen van de Britse verzekeraars.

In Nederland moeten civiele partijen de straatjes schoonve-
gen die de verzekeraars hebben bevuild. Hooft Graafland:
'Blijkbaar bestaat er in ons land geen wettelijke mogelijkheid
om als overheid te kunnen ingrijpen. Als ons team niet had
ingegrepen en als *Tros Radar* het probleem niet aan de kaak
had gesteld, was er niets gebeurd. De woekerpolisaffaire was
de doofpot ingegaan en alle klachten zouden zijn verjaard.'

Dat claimadvocaten nu beweren dat de stichtingen hun
tanden niet hebben laten zien en zich door de grote mond
van de verzekeraars de gordijnen in hebben laten jagen, gaat
Hooft Graafland toch echt te ver. RTL 7 verspreidde berichten
als zouden Verliespolis en Woekerpolis Claim 22 miljoen euro
hebben verdiend aan de transactie. 'Volstrekte onzin!' roept
hij. 'Dacht u dat alle deskundigen die we hebben moeten in-
schakelen niets kosten? Weet u dat topadvocaten tussen de
500 en 600 euro per uur vragen? De kosten lopen zo geweldig
op. We hebben veel nachtelijke uren moeten maken. Over iedere punt en komma wordt een uur gedebatteerd.'

Hij wijst erop dat de stichtingen ook miljoenen mensen
hebben geholpen die anders helemaal niets hadden gekregen.
'Het gaat om zo'n 5 miljoen Nederlandse gezinnen, terwijl er
zich ongeveer 200.000 hebben aangesloten bij onze stichtingen. Interesseert het al die mensen niet of beseft het merendeel niet dat ze zo'n polis bezitten?'

Het lijkt Hooft Graafland intussen een voortreffelijk moment voor kapers op de door verzekeraars streng bewaakte
kust. Vergelijkbaar met prijsvechters als easyJet en Ryanair in
de luchtvaart. Keihard concurreren en het old boys network
met de grond gelijkmaken door betere en goedkopere producten aan te bieden. 'Die enorme kantoren van de gevestigde bedrijven betalen de consumenten nu zelf.'

11 Onafhankelijk onderzoek

Nederland ging eindelijk kennismaken met alle trucs die het financiële schandaal mogelijk hadden gemaakt, zo beloofde minister Wouter Bos van Financiën. Met tromgeroffel werden in 2008 de uitkomsten van het onderzoek van het IFO en de AFM gepresenteerd. Maar hoe diep hadden de onderzoekers eigenlijk mogen graven? En was het wel de hele waarheid die boven tafel kwam? Actuaris Erwin Bosman, die namens het bureau IFO onderzoek verrichtte: 'Als je deze affaire heel zuiver was aangevlogen, had je de hele Nederlandse economie naar de knoppen geholpen.'

Iedereen was het erover eens: de natie moest weten hoe het zover had kunnen komen met de woekerpolissen. Maar het is in Nederland niet zo eenvoudig om onafhankelijk onderzoek te verrichten in die grote financiële woestijn waarin iedereen elkaars dorst lest. Hoeveel professionele instanties kwamen daarvoor in aanmerking? Hooguit vier of vijf, want het ging hier wel om wat zou kunnen uitgroeien tot het grootste schandaal uit de Nederlandse financiële geschiedenis. Een heel serieus karwei dus, dat uiteindelijk in 2007 door de minister van Financiën, Wouter Bos, werd gegund aan het nog jonge Instituut Financieel Onderzoek (IFO) met vestigingen in onder meer Amersfoort en Brussel.

Een eervolle opdracht, maar als we de goede bronnen van het IFO moeten geloven was hier sprake van eenoog, koning in het land der blinden. Andere potentiële kandidaten, zoals bijvoorbeeld MoneyView, hadden aanvankelijk geen belangstelling getoond. Naar de redenen kan alleen worden gegist, maar bijna zeker moet de oorzaak gezocht worden in de garantie van onafhankelijkheid. Iedereen danst met iedereen op het bal van de onbegrensde mogelijkheden.

Alfred Oosenbrug en Arnoud Boot, de twee giftige schorpioenen van de verzekeringssector, waren al onschadelijk gemaakt, de laatste doordat hij deel had uitgemaakt van de commissie-De Ruiter. Zonder de andere onderzoekers tekort te willen doen: woekerpolishoudend Nederland moest de hoop vestigen op de trojka Jan-Evert Lammers (baas van het IFO), hoogleraar en 'productspecialist' Jaap Koelewijn, en actuaris Erwin Bosman.

De hooggeleerde onderzoekers merkten hoe de gebruikelijke tactiek van vertragen weer werd toegepast. Sommige commissieleden vonden het vernederend hoe hooghartig ze werden ontvangen door verzekeraars. De heren moesten goed begrijpen wie de baas is in Nederland.

Zoals afgesproken met het ministerie van Financiën waren vijf niet bij naam te noemen verzekeraars geselecteerd om binnenstebuiten te worden gekeerd. Een van de bijna onmogelijke opdrachten van het IFO was om experts ('superspecialisten') te vinden die niet op de een of andere manier nog een rekening te vereffenen hadden met een van de vijf. Had Koelewijn zich niet een jaar of zeven geleden wat negatief uitgelaten over partij X? Die vraag is echt gesteld. Voordat alle geheime agenda's verdwenen waren, waren alweer kostbare maanden verstreken. Het nam nog eens twee maanden in beslag voordat de verzekeraars (die zo snel en accuraat hun medewerking hadden verleend aan de voorgaande commissie-De Ruiter, maar daarbij ging het alleen om de toekomst) fiatteerden in welke laatjes en computerdata de mensen van het IFO mochten gluren.

Voor de buitenwacht en zeker tegenover opdrachtgever minister Bos profileerden de betrokken verzekeraars zich als de beste jongetjes van de klas. Maar de meester (het ifo) merkte daar helemaal niets van. 'Het leek wel een teckel die er zes weken over deed om op een iets te hoge stoep te komen, maar er op het laatste moment steeds vanaf viel,' beschrijft een van de getuigen de situatie plastisch. Teckel blaft, maar kwispelt als baasje Bos in de buurt is. Deugden de onderzoekers van het instituut niet, waren ze inderdaad ondeskundig (zoals Wouter Bos in een later stadium zou zeggen) of begrepen ze eenvoudigweg niet hoe je moet communiceren? Want dat was de belangrijkste klacht van de verzekeraars: deze mensen kenden de regels van het sociale verkeer niet.

Stoep op, stoep af, zo ging het maanden door, terwijl de Tweede Kamer ongeduldig begon te worden, want het volk moest nu toch eens weten waar het aan toe was. Midden december 2007, bijna vijf maanden na de start van het onderzoek, volgde een 'reparatievergadering' met het Verbond van Verzekeraars, een paar belangrijke directeuren en het ministerie van Financiën. De aanwezigen waren het volkomen eens: haast was geboden, ook de sector zegde (weer) expliciet medewerking toe. Het zonnige humeur was van korte duur, want nu bleek de selectie uit de ruim 1200 beleggingsverzekeringen een onneembaar obstakel. Het ifo had vijftig producten geselecteerd en daarbij vooral oog gehad voor een representatieve diversiteit van de vele woekerpolissen.

Deze selectie was in de ogen van de onderzoekers voldoende om de Tweede Kamer te kunnen informeren, maar natuurlijk geen reden om definitief af te rekenen, zoals de baas van het kwispelende hondje deed voorkomen. Wouter Bos had de ongeduldige parlementariërs beloofd dat 'man en paard' zouden worden genoemd. Eindelijk zou er een lijst komen met goede en slechte producten. Het ifo was er allang van overtuigd dat de laatste belofte nooit kon worden nagekomen in zo'n korte tijd. Voor een werkelijk representatieve inventarisatie waren misschien wel jaren nodig.

Bovendien was het onmogelijk 'namen en rugnummers' te noemen, omdat anonimiteit was gevraagd en gegarandeerd bij het begin van het onderzoek. Er zou immers 'uiterst vertrouwelijke' en mogelijk 'kwetsbare' informatie boven water kunnen komen, waardoor het geselecteerde kwintet 'zondebokken' weleens op een onoverbrugbare achterstand kon komen bij eventuele rechtszaken van ontevreden polishouders. Advocaten kregen dan de munitie als het ware gratis toegespeeld om de boosdoeners juridisch neer te knallen.

Twee maanden lang, zo melden bronnen van het IFO, is geprobeerd het ministerie de onmogelijkheid van de opdracht kenbaar te maken. Een 'tussenrapport dat nog lang niet klaar was' en waarin ook melding werd gemaakt van de tegenwerking door de vijf onderzochte verzekeraars, werd toen in de publiciteit gebracht door ministeriële medewerkers. Alleen zonder het doorslaggevende feit van het gebrek aan medewerking. 'De laagste streek die ooit is uitgehaald met onderzoekers. We stonden echt in onze blote kont voor de media. Het was een gekuiste versie waaruit ook de dingen die het ministerie niet welgevallig waren, verwijderd waren.' Zo netjes mogelijk kaatste het IFO de bal terug om ten minste met 'baasje' Bos te kunnen blijven wandelen. De beleefde onderzoekers zeiden tegen journalisten dat de minister verkeerd was voorgelicht door zijn ambtenaren.

Op het hoofdkwartier van het IFO werd er stevig gevloekt. Met man en macht had het drietal met een backoffice van dertien hooggekwalificeerde medewerkers een jaar lang de teckel op de stoep proberen te krijgen, om vervolgens als dank voor het aangenaam verpozen te worden weggezet als een stelletje nietsnutten.

Stond het IFO op het punt om de deksel te lichten van een beerput waaruit een ondraaglijke stank kwam? We zullen het nooit weten. Sommige IFO-medewerkers blijven geloven in het goede van de verzekeringsmensen 'die alleen maar de uiterste grenzen hebben opgezocht van de toelaatbare fiscale mogelijkheden'. Geen boeven in maatkostuum dus. Maar zeker is wel dat het onderzoek, dat na de 'diskwalificatie' van het IFO was overgenomen door de Autoriteit Financiële Markten (AFM), slechts de helft onthulde van de feitelijke ondoorzichtigheid. De eerste kosten bleken inderdaad ontzagwekkend, de hoge provisies van de tussenpersonen werden simpelweg weggesluisd uit het beleggingspotje van de klant. En de econometristen en actuarissen hadden zich ware kunstenaars getoond in gegoochel met sterftetafels en alle andere mogelijkheden van kosten maximaal uitgebuit. Maar een belangrijk onderdeel van de hoge kosten was uit zicht gebleven.

De AFM had gebruik kunnen maken van datagegevens van MoneyView, vooraanstaand onderzoeksbureau uit Amsterdam, dat het afgelopen decennium informatie over veel beleggingsproducten had opgeslagen. De kosten konden daaruit aardig worden herleid, maar de andere belangrijke vraag werd niet beantwoord. Hoe was het mogelijk dat de meeste beleggingsresultaten zo slecht waren en bleekjes afstaken tegen rendementen van andere instellingen, zoals die van vermogensbeheerders? Konden de verzekeraars de exacte gegevens niet overleggen, wilden ze het niet, of moest er echt verstoppertje worden gespeeld om ontoelaatbare winstmarges te blijven verhullen? De verzekeraars leken niet goed uit te kunnen leggen aan de hand van accountancy wat er met de miljoenen individuele beleggingsportefeuilles was gebeurd.

De AFM-autoriteiten uit Amsterdam hebben nog geprobeerd om het IFO de andere helft van het ware verhaal te laten uitzoeken, maar dat bedankte begrijpelijkerwijs voor de uitnodiging. Blijft dus de ongemakkelijke vraag wat de beheerders hebben uitgespookt van al die grote en van deskundigheid vergeven verzekeringsmaatschappijen? De meeste bronnen van het IFO gaan niet per se uit van kwade opzet; 'misschien zijn te veel polissen op een grote hoop gegooid om er nog goede individuele conclusies aan te verbinden'. En wie weet verklaart de frustratie over het niet goed kunnen overleggen van alle beleggingsprestaties wel de irritatie en tegenwerking ten opzichte van de onafhankelijke onderzoekers van het IFO. Wie zal het zeggen?

Hans Hoogervorst, de door de wol geverfde politicus die Docters van Leeuwen was opgevolgd als bestuursvoorzitter van het AFM, sprak ter gelegenheid van 'zijn' feitenonderzoek naar beleggingsverzekeringen kloeke taal. 'Iedereen zou met de billen bloot gaan,' en o, wat was het moedig geweest van de verzekeraars om hun informatie door te spelen. 'Namen en rugnummers' zouden worden prijsgegeven, precies zoals Kamer en kabinet hadden geëist. Inderdaad werd een vijftigtal producten tot op het dubbeltje nauwkeurig 'uitgekleed' (terug te lezen op de website van de AFM). De conclusie was in oktober 2008 dat het aantal 'echte' woekerpolissen geschat moest worden op 900.000.

Ombudsman Jan Wolter Wabeke blies de laatste wolkjes weg aan de overwegend blauwe hemel en de zon kon weer schijnen voor de in het nauw gedreven verzekeraars. Delta Lloyd gaf het goede voorbeeld door 300 miljoen uit te trekken voor schikkingen, op basis van de Wabekenorm. En minister Bos riep de andere verzekeraars op ook over de brug te komen, niet zonder gebruik van spierballentaal. Hij legde een verband met de kredietcrisis die Nederland met orkaankracht had getroffen en zei: 'De woekerpolisaffaire toont aan wat er gebeurt als mensen producten kopen waarvan ze de risico's en rendementsverwachtingen niet kunnen overzien.' De domme consument en de 'moedige verzekeraars' (Hoogervorst), zo keer je in de politiek de schuldvraag eenvoudig om. En zo voorkom je een tweede ronde van een kredietcrisis.

Geen woord natuurlijk over de 'halve waarheid'. De meeste betrokkenen, in ieder geval die van het IFO, zijn van mening dat wat betreft de achterblijvende beleggingsresultaten de onderste steen boven moet komen, desnoods door extra onderzoek.

'De Wabekenorm is niets anders dan een politiek compromis,' zegt Erwin Bosman, de actuaris die namens het IFO in de geheime laatjes mocht kijken van de verzekeraars en geen probleem heeft met een vraaggesprek met bronvermelding. Tegenwoordig heeft hij zijn eigen bedrijf in Bilthoven, Pensum BV, gespecialiseerd in pensioenadvisering. Over de exacte bevindingen van het IFO mag hij geen uitspraken doen, zeker niet 'met namen en rugnummers'. Maar dit wil hij wel kwijt: 'Het rapport van de AFM is de halve waarheid. Wij wilden graag kijken naar de beleggingskosten en daar hebben we niet de gelegenheid voor gekregen.' De wereld mag ook weten dat de actuaris, nota bene 'opgegroeid' bij Nationale-Nederlanden, onthutst was over de kosten die verstopt waren in alle mogelijke producten.

'Robeco heeft de eerste beleggingsproducten op de markt gebracht. Wij doken er bovenop bij Nationale-Nederlanden. Het grote voordeel was dat je geen garantie hoefde te bieden voor het eindkapitaal. Je goot een verzekeringssausje met daaraan gekoppeld een overlijdensrisicoverzekering over een belegging, en zo had je een verzekeringsproduct dat iedereen wilde. Het was een wereldvondst. De marketingpower van Nationale-Nederlanden deed de rest. We denderden zo over Robeco heen.' De kassa bleef onophoudelijk rinkelen.

Toch vielen hem in de rol van IFO-onderzoeker de schellen van de ogen. 'Ik was onthutst over de hoeveelheid kosten, maar nog verbazingwekkender vond ik dat alle verzekeraars ongeveer hetzelfde verdienden op de beleggingsproducten. De een maakte gebruik van een sterftetafel uit het jaar nul, de ander berekende relatief heel hoge administratiekosten. Kostentechnisch kwamen ze allemaal ongeveer op dezelfde winstmarge uit. Niet door kartelvorming mijns inziens. Ze bestudeerden elkaars producten gewoon goed.'

Over de compensaties voor de consument op basis van de Wabekenorm heeft Bosman ook een duidelijke mening: '8 miljoen polissen, want daar hebben we het over als je de pensioenverzekeringen meerekent, zijn een onhanteerbare hoeveelheid. Er moest een compromis komen waarin iedereen zich zou kunnen vinden. Anders had het Nederlandse rechtswezen jarenlang plat gelegen. Consumenten denken nu dat ze misschien wel duizend euro zullen terugkrijgen. Dat is lariekoek. Het gaat om tientjes of een paar honderd euro, en maar in enkele gevallen om duizend euro. De compensatie zal hun zwaar tegenvallen. Als je deze affaire heel zuiver zou aanvliegen, breng je de hele economie in Nederland naar de knoppen.'

De eigengereide actuaris heeft zelf ook een woekerpolis aangeschaft eind jaren negentig. Als jonge, verwachtingsvolle starter nam hij een hypotheek met een mooie beleggingsverzekering eraan gekoppeld. Want ja, je was in die jaren wel gek als je dat niet deed. 'Ik kocht een vrij duur huis, en daarbij stond de vraag centraal hoe je de hypotheek rondkrijgt bij ABN Amro. Het was geen DSB-constructie hoor, en de kostenstructuur zag er zo op het eerste oog behoorlijk vriendelijk uit. Maar ja, wel een middeleeuwse sterftetafel voor de betreffende overlijdensrisicodekking, zo bleek veel later.' Hij is dus ook al een van die vele gekke Henkies. 'Op mijn offerte stond een eindprognose van 150.000 gulden. Na ruim tien jaar sta ik ongeveer op nul. De positieve prognose gaat nu uit van 17 of 18 mille voor 2026, en de negatieve van nul. Wat ik ga doen? Ik heb het een beetje verdrongen, maar ik denk dat ik die polis ga afkopen.'

Het zijn verbijsterende en helaas geen uitzonderlijke cijfers, die volgens Bosman tot rampzalige scenario's op de Nederlandse huizenmarkt gaan leiden. De meeste consumenten hebben niet door dat ze met een enorme restschuld blijven zitten wanneer hun hypotheek afloopt. Als de overheid daarnaast ook nog eens gaat sleutelen aan fiscale regels voor aftrek van de hypotheekrente, is de ramp helemaal niet te overzien. 'Dan donderen niet alleen de huizenprijzen in elkaar, maar zit je ook nog eens opgescheept met een beleggingspolis die vrijwel niets waard is. Dat wordt een economisch drama.'

Alle deskundigen weten het, inclusief de veroorzakers van de ellende. 'Ik ben ervan overtuigd dat de verzekeraars het IFO-onderzoek zijn ingegaan met de strategie de boel te laten klappen. Op een markt van 8 miljoen polissen en een schade van tientallen miljarden heb je wel wat te verliezen.'

En dan speelt de AFM de gebraden haan met de conclusies van een onafhankelijk onderzoek, inmiddels door de politiek gekust en goed bevonden. 'De AFM is van god los, durf ik wel te zeggen. Ik heb met de AFM te maken via pensioenbesturen waarvoor ik werk. Ze schrijven brieven voor die je als pensioenfonds verplicht moet sturen naar je deelnemers. Die begrijpen de brief simpelweg niet. Maar voor iedere wijziging heb je toestemming nodig van de AFM en die haalt vervolgens eenzijdig een streep door jouw correcties.'

Peter Post, directeur van MoneyView (dat het meeste onderzoek verrichtte na de 'diskwalificatie' van het IFO), meent dat de AFM zich beter bewust moet worden van zijn eigen macht. Het toezicht moet niet alleen strenger worden, maar ook praktischer. Dus niet overal bijna onuitvoerbare regelgeving voor verzinnen, maar wel producten, foute producten, de toegang tot de vrije markt versperren. 'Er wordt nu van adviseurs verlangd dat ze klanten vragen of ze bij beleggen bereid zijn hun inleg te verliezen. Als het antwoord "neen" is, mogen ze alleen maar sparen. En als ze bevestigend antwoorden, moet je ze vragen hoeveel procent ze maximaal willen verliezen. Dan schiet je je doel voorbij.' Post wil ermee zeggen dat de AFM zich naar zijn mening meer moet concentreren op de rol van 'bijtende waakhond' en niet die van 'kommaneuker'. Echt toezicht is noodzakelijk om een herhaling van de woekerpolisaffaire uit te sluiten.

Hij beaamt dat er geen nader onderzoek naar de hoge beheer- en beleggingskosten van de verzekeraars is gedaan voor de rapportage van de AFM. 'Dat onderwerp moest je niet aanroeren, wilde je anno 2008 van de verzekeraars de andere belangrijke gegevens boven tafel krijgen. Je betaalt een prijs voor een bepaald rendement. Maar hoe hoog die prijs is en welk rendement je er als klant voor krijgt, is tot dusver onopgehelderd.' Om echt schoon schip te maken in deze sector is nader onderzoek onvermijdelijk.

De affaire met de miljoenen 'vergiftigde' polissen is een maatschappelijk probleem waarvan de reikwijdte onvoldoende wordt ingezien. Het voortbestaan van de sector staat volgens Post op het spel. Iedere uitzending van *Tros Radar* over het onderwerp drijft de verzekeraars verder in een hoek. Het vertrouwen in verzekeraars en banken is gedaald tot het nulpunt. De 'producenten' weten dat. 'Er is een enorme vertrouwenscrisis. 80 procent is in paniek, lamgeslagen. De verzekeraars moeten zichzelf opnieuw gaan uitvinden.'

Je moet er niet aan denken, zegt Post net als IFO-onderzoeker Bosman, wat er gebeurt als de woningmarkt gaat stagneren. Met de woekerpolissen gekoppeld aan hypotheken, waarvan er volgens hem minimaal een miljoen in omloop zijn, komt het niet meer goed, of er moet een bijbels mirakel gebeuren op de beurzen. 'Als de woningmarkt stagneert stevenen we rechtstreeks af op een majeure crisis, waarbij Nederlanders massaal hun huis moeten gaan verkopen.'

Een van de belangrijkste lessen van deze crisis moet zijn

dat een rentabiliteit van 17 procent onacceptabel is. 'Dat kan er alleen maar toe leiden dat de klant als melkkoe wordt gebruikt, want waar haal je anders het geld vandaan?'

Maar diezelfde klant schiet er, zoals eerder opgemerkt, niets mee op wanneer grote maatschappijen gaan omvallen door eerlijke, maar veel te hoge compensatieregelingen. 'Dat is de spagaat waarin toezichthouders en overheid liggen. Het systeem moet overeind worden gehouden. Voor onafhankelijke adviseurs zoals wij komen er interessante jaren aan, want er zal schoon schip moeten worden gemaakt. De mentaliteit moet op de schop. Een medewerker van ABN Amro schetste het eens heel mooi voor me: in de jaren tachtig stond voorop het vermogen van je klant te vergroten. Daar was je trots op als bankmedewerker. Een jaar of tien later dacht een medewerker als een klant binnenwandelde: hoe kunnen we zo veel mogelijk aan deze man verdienen?'

12 Kartelonderhandelingen

Vreemde taferelen speelden zich af tijdens de onderhandelingen van de claimstichtingen met de verzekeraars, vaak tot in de kleine uurtjes. Het opmerkelijkste was dat de 'concurrentie' nog vóór het ochtendkrieken op de hoogte was van de inhoud van de gesprekken. Er lijkt sprake van een kartel, dat zo snel mogelijk moet worden onttakeld. 'Als we harder hadden onderhandeld, waren er maatschappijen omgevallen.'

Tijdens een vergadersessie over een deal met een van de grootste verzekeraars zei een onderhandelaar namens de laatste partij: 'We wisten het niet, maar we hebben tot 2002 overlijdensrisicoverzekeringen afgesloten aan de hand van sterftetafels uit 1965.' Advocaten en andere gesprekspartners namens VEH, VEB en de twee stichtingen Verliespolis en Woekerpolis Claim vielen nog net niet van hun stoel. Ze waren de afgelopen maanden al geconfronteerd met de meest onvoorstelbare handelingen en kostenconstructies, altijd ten gunste van de verkopers, maar deze 'truc' sloeg alles. Het bleef lang stil na deze bekentenis. De handtekeningen onder de aktes voor compensatie zijn die avond uiteindelijk toch met wederzijdse toestemming gezet. Er bestaan waterdichte afspraken, mede naar aanleiding van de 'truc van 1965', voor de toekomst.

Er zijn meer voorbeelden van zulke 'ongelukken'. Een leeftijd noteren van 44 in plaats van 40 jaar bij het berekenen van de premie voor het overlijdensrisico, hupsakee weer 20 procent extra verdiend. Of vrouwen (die relatief langer leven dan mannen) inschrijven als mannen. Het is werkelijk gebeurd. Kassa!

Lucratief is ook dit gegeven, bekend bij iedere expert: gemiddeld leven Nederlanders die een overlijdensrisicoverzekering afsluiten langer dan mensen die dat niet doen. Want vaak zijn het mannen en vrouwen die, gemiddeld genomen, hoger zijn opgeleid, wat meestal gepaard gaat met gezonder en dus langer leven. Met andere woorden: verzekeraars verdienen aan deze klanten relatief veel, meer dan uit de sterftetafels (waarbij de gemiddelde leeftijd van alle landgenoten, ook de zich doodrokende Nederlander, is ingecalculeerd) valt af te lezen.

Dit hoofdstuk behelst voornamelijk de onderhandelingen tussen belangenbehartigers van de consumenten en de verzekeraars die vonden (en vaak nog vinden) dat ze niets fout hebben gedaan met het op de markt zetten van miljoenen polissen, gekoppeld aan beleggingen waarmee de afgelopen twee decennia miljarden zijn verdiend. Dat kon alleen maar door onbegrijpelijke offertes op te stellen. Volgens een aantal bronnen zijn productspecialisten en juristen weken of misschien wel maanden bezig geweest er voor de verzekeraar juridisch dichtgetimmerde documenten van te maken. De bedenkers van de producten hadden, mede vanwege de lange looptijd van dertig jaar, allerlei 'veilige marges' ingebouwd, die nooit in het voordeel waren van de consument. Waarom moesten juristen de zaak eigenlijk dichttimmeren? Zou dat iets te maken kunnen hebben met het drijfzand van veel te rooskleurige rendementen, ontsproten aan het brein van je reinste fantasten?

In de nazomer van 2006 kwam de wondermachine van de woekerpolissen met een schok tot stilstand. Een met chocoladeletters ingezet artikel op de voorpagina van *De Telegraaf*, gevolgd door een uitzending van *Tros Radar*, was de indirecte oorzaak. Minister Gerrit Zalm, die in zijn nadagen als minister van Financiën niet meer kon volhouden dat een concurrerende markt vanzelf afrekent met uitwassen, gaf het startsein. Het Verbond van Verzekeraars kon niet langer volharden in de tactiek van de onnozele hals spelen en zette de commissie Transparantie Beleggingsverzekeringen aan het werk. De voormalige ombudsman en oud-minister van Justitie Job de Ruiter werd verzocht leiding te geven en als 'dissident' mocht hoogleraar Arnoud Boot zijn zegje doen in deze commissie.

Nog net voor de feestdagen van 2006 kwam de commissie-De Ruiter met de conclusies, voornamelijk bestemd voor de toekomst. Het werd niet zo gezegd, maar de 7 à 8 miljoen bestaande polissen moesten als verloren worden beschouwd. De uitkomst was vernietigend. 'Het belangrijkste gebrek van de huidige informatieverstrekking is het gebrek aan transparantie. De consument blijkt vaak in de veronderstelling te zijn dat het door hem gekochte product een spaarvoorziening is, en dat zijn inleg daartoe wordt belegd, veelal in door hem zelf aangewezen fondsen. Pas na verloop van tijd bemerkt hij dat van de door hem betaalde bedragen (soms aanzienlijke) gedeelten besteed zijn voor risicodekking en kosten.'

Nog een andere oorvijg in drukletters: 'De financiële bijsluiter in de huidige vorm schiet naar de mening van de commissie tekort waar het gaat om het hoofddoel: begrijpelijke en heldere informatie over beleggingsverzekeringen.' Eigenlijk gebeurde wat een kind kon voorspellen en werden waarschuwingen, ruim een decennium eerder geuit door hoogleraren, actuarissen en andere experts van naam, nog maar eens herhaald. Nu kon het Verbond van Verzekeraars niet meer doen, alsof per ongeluk even de andere kant was opgekeken toen de 7 à 8 miljoen polissen werden afgesloten.

Saillante wetenschap hierbij is dat de nieuwe flexibele verzekeringsvariant juist mede in het leven was geroepen om een einde te maken aan de ondoorzichtigheid van het traditionele alternatief, waarbij geen klant kon zien wat er nu precies klopte van de jaarlijkse winstbijschrijvingen en waarop die gebaseerd waren.

Mooi bewijs daarvoor blijkt al uit fragmenten van het verzekeringsmagazine *AM* (juni 1995!) over de zegeningen van de nieuwe variant. Marketingmanager Hagenaars van Royal Nederland Leven (later overgenomen door Allianz) zegt met betrekking tot transparantie: 'Er zou een reclamecampagne vanuit het Verbond van Verzekeraars moeten komen om de consument ervan te overtuigen dat hij duidelijkheid moet eisen. Laat elke klant zijn intermediair bellen om de (afkoop)waarde van zijn pensioen/hypotheekverzekering op te vragen.' Ivo Valkenburg, kritisch actuaris, wordt aldus geciteerd: 'Bij de traditionele levensverzekeraar zie ik nooit de afkoopwaarde. Die meldt alleen dat het winstkapitaal is verhoogd en dat vinden de klanten prachtig.' Op de vraag van *AM* of je de toepassing van winstdelingen kunt vergelijken met de onzekerheid over eerlijke wisselmarges bij betalen met vreemd geld in het buitenland, antwoordt Hagenaars: 'Die schets is een heel plastische beschrijving van de situatie in de Nederlandse verzekeringsmarkt.'

Nee, maar dan de beleggingsverzekering nieuwe stijl. Nu zou alles goed komen, zeiden pleitbezorgers, misschien met de beste bedoelingen. Met de hulp van computerprogramma's kon iedere klant als het ware een maatkostuum bestellen in verzekeringsland. Alles zou beter worden. Wat ook niet onbelangrijk was: met het moderne product zou de roep om meer invloed van toezichthouders of (nog erger) ingrijpen van de overheid kunnen worden gepareerd. Hoezo noodzakelijk ingrijpen van buitenaf? Wij vegen ons eigen straatje wel schoon. Dat was de teneur van de massale liefdesverklaring aan verzekeringsproducten op basis van beleggen.

Hadden de toezichthouders maar ingegrepen destijds, dan zouden nu niet miljoenen consumenten met de gebakken peren zitten in de vorm van schitterende en o zo flexibele offertes die voor een groot deel slechts theoretische waarde bezitten. Maar zo willen de grote en kleine verzekeraars het in 99 procent van de gevallen niet zien. Als hun al wat te verwijten valt, is het misschien in de vorm van moeilijk te begrijpen informatie. Misschien. Zonder gêne wordt een deel van de schuldvraag, voor zover van toepassing, in de schoenen geschoven van de tussenpersonen die de in theorie 'prachtproducten' aan de man hebben gebracht zonder zich voldoende af te vragen of de klant wel begreep wat hij/zij kocht. En men wijst ook graag op de hebberigheid van de argeloze consument. Het Grote Graaien heeft plaatsgemaakt voor het Grote Afschuiven.

In dat decor moesten commissies, onderzoekers en belangenbehartigers van de consumenten spitsroeden lopen. Het leidde tot taferelen en gebeurtenissen die de stoutste fantasieën overtreffen. De hoofdrolspelers in dit toneelstuk stellen wij graag aan u voor: de advocaten van Verliespolis en Woekerpolis Claim (Jurjen Lemstra, Jeroen Wendelgelst, William Schonewille en jonkheer Gilles Hooft Graafland), de onderhandelaars namens VEB en VEH (Errol Keyner en Peter Alers), het zwalkende ministerie van Financiën (souffleur: Bernard ter Haar), Job de Ruiter, onder meer voormalig minister van Justitie en (zoals dat toen nog heette) Ombudsman Verzekeringen, en Jan Wolter Wabeke, de man naar wie de nieuwe norm is vernoemd aan de hand waarvan u, consument, een wel of niet geringe compensatie tegemoet kunt zien. De laatste twee komen in een volgend hoofdstuk aan bod.

Belangrijk om te weten is dat het ministerie nimmer een actieve rol in dit spel heeft willen spelen, maar wel inzag dat het spel nooit gespeeld had kunnen worden zonder die krankzinnige fiscale voordelen die de klanten blind deden tekenen voor hun contracten. Dat je in geval van lijfrenteconstructies toch ooit zou moeten afrekenen met de fiscus werd als bijzaak beschouwd. Maar het ministerie begreep natuurlijk wel dat de verzekeraars niet alleen het vuile werk moesten opknappen. Belangrijke voorwaarde (nooit hardop uitgesproken) bij de 'reparatie' van de woekerpolissen: het mocht de Staat der Nederlanden geen cent kosten.

Bernard ter Haar heeft in zijn rol als onzichtbare souffleur de voorzet gegeven voor wat zou leiden tot de 'maatschappelijk breed aanvaarde' Duisenbergregeling bij de Dexia-affaire, een fooi volgens vele criticasters zoals eerder vermeld. De schoonmaakactie bij de woekerpolissen, zoals begonnen door het Verbond van Verzekeraars, was het ideale scenario voor het ministerie 'om zo veel mogelijk de vuile was binnen te houden'. Ter Haar kreeg een geduchte nieuwe gesprekspartner in de persoon van Jeroen Wendelgelst, die zich eerder buitengewoon kritisch had uitgelaten over de schikking bij Legio Lease. Een wispelturige, op het eerste oog onverzoenlijke maar serieuze partij vanwege zijn relatief grote aanhang: ongeveer 80.000 gedupeerden hadden zich bij 'zijn' Woekerpolis Claim aangesloten.

Wendelgelst had snel en slim gereageerd op de *Tros Radar*-uitzendingen over woekerpolissen en zich een gelijknamige domeinnaam op internet toegeëigend, nog voordat de omroep dat kon doen. De Vereniging Consument & Geldzaken, voor wie deze gewiekste advocaat eerder zaken had gedaan, toonde zich '*not amused*', toen hun paradepaardje op eigen benen en met een eigen stichting de strijd aanging met de verzekeraars. Wendelgelst bleek niet alleen een slim onderhandelaar, hij toonde zich ook een 'singuliere persoonlijkheid'. Aan Ter Haar de schone taak om dit 'ongeleide projectiel' niet voortijdig te laten ontploffen, met misschien al vanaf het allereerste moment een olievlek aan rechtszaken die zich alleen maar kon verspreiden. Want dat was de belangrijkste opdracht voor de verantwoordelijke ambtenaren: redden wat er te redden valt en de ramp alsjeblieft niet laten leiden tot het omvallen van een paar mammoetverzekeraars. De schijnbaar onverzoenlijke houding van Woekerpolis Claim bij het begin van de besprekingen ('We gaan jullie voor de rechter slepen') maakte op een goed moment plaats voor de wil om te blijven praten, hoe afhoudend sommige verzekeraars zich aanvankelijk ook opstelden. Vooral Nationale-Nederlanden en Fortis wilden van geen wijken weten en volhardden in de opvatting dat hun niets te verwijten viel.

'De onderhandelingen verliepen soms puur vijandig maar meestal vriendschappelijk,' vertelt Errol Keyner van de Vereniging van Effectenbezitters. 'We hebben ruim honderd zittingen gehad. Vooral bij N-N en Fortis bleef het alleen bij praten, meestal tot in de kleine uurtjes. Het schoot niet op. En het ging ons uiteindelijk om de centen. Dan maar liever ruzie. Dus hebben we ook de polissen van deze maatschappijen laten fileren door Alfred Oosenbrug, de actuaris die wij hadden ingeschakeld.' Oosenbrug 'fileerde' drie polissen, aan de hand waarvan de rechter om een oordeel zou worden gevraagd. Ze zouden tegelijkertijd worden voorgelegd aan het Kifid, het Klachteninstituut Financiële Diensten met, jawel, Jan Wolter Wabeke aan het hoofd. Errol Keyner: 'We hebben Oosenbrug gevraagd de valkuilen te zoeken. Hij keek niet of 2,5 of 3,5 procent aan kosten wel redelijk is, maar of er in het contract staat welke kosten er mogen worden ingehouden en of het contractenrecht wel is toegepast.'

Nationale-Nederlanden wilde zeer beslist niet verder gaan dan de 3,5 procent aan jaarlijkse kosten (over de totaalwaarde van de polis en zoals in uitzonderlijke gevallen maximaal voorgesteld door Wabeke), of hooguit tot 3,49 procent, zegt Keyner.

Idiote percentages, waardoor meer dan de helft van de ingelegde premie in één keer mochten worden 'opgeslokt'. Elk jaar weer. Voor garantieproducten wordt een marge van 4,5 procent redelijk geacht. Keyner vermoedt dat de komst van een nieuwe baas bij Nationale-Nederlanden, Lars Friesen, de doorslag heeft gegeven om Delta Lloyd te volgen. En bij Fortis heeft de kredietcrisis voor het zetje in de rug gezorgd. Want opeens was de op eieren lopende Ter Haar meer dan een souffleur. Als 'redder' van onder meer Fortis kon hij plotseling zeggen wat er moest gebeuren met de bijna verdampte poet.

De verzekeraars kwamen opeens in beweging als sprinters op de wielerbaan. Helemaal voorop dus Delta Lloyd, de relatief kleine speler met een compensatiebedrag van 300 miljoen, Nationale-Nederlanden met 365 miljoen (inclusief 70 miljoen voor de 'schrijnende gevallen', maar eigenlijk is iedere woekerpolis schrijnend) en Fortis toverde ruim 800 miljoen uit de hoge hoed. Gevolgd door Aegon (710 miljoen), SNS Reaal (320 miljoen) en Loyalis (60 miljoen). Delta Lloyd had de sprint gewonnen, dankzij het daadkrachtige optreden van Niek Hoek, zeggen de onderhandelaars, niet zonder gevaar van een valpartij. Want de consument kon de handreiking net zo goed beschouwen als een schuldbekentenis. Maar zie: Delta Lloyd-topman Paul Medendorp werd nog net niet als een groot kampioen gehuldigd in een uitzending van *Tros Radar*, gewijd aan de eerste schikking bij de woekerpolissen. De advocaten Lemstra, een fanatiek hardloper met een aantal halve marathons op zijn naam, en Wendelgelst zaten erbij alsof zij de kampioen zouden gaan kussen in plaats van de gebruikelijke rondemissen. Antoinette Hertsenberg, presentatrice die weet wat doorvragen is, leek de champagneflessen elk moment te kunnen laten aanrukken. Het was feest: de consument had gewonnen.

Dat die circa 2,5 miljard euro aan schikkingsgeld gedeeld moet worden door ongeveer 5 miljoen (naar schatting het totale aantal potentiële polissen van de maatschappijen die hun handtekening zetten onder de schikking) en dan nauwelijks meer oplevert dan 500 euro per polis, wordt in de euforie niet opgemerkt.

Omdat Niek Hoek van Delta Lloyd ook voorzitter was van het Verbond van Verzekeraars, was het geen grote verrassing dat juist zijn 'club' het voortouw nam om te schikken. Een andere gunstige omstandigheid was volgens de onderhandelaars dat Delta Lloyd relatief weinig 'besmette' polissen had, zeker in juridische zin, en bovendien een relatief kleine speler was. Waar deze verzekeraar zich aanvankelijk niet eens verwaardigde om aan één tafel gezien te worden met de onderhandelaars van Verliespolis en Woekerpolis Claim bleek met de munitie van de gehate Oosenbrug plotseling alles mogelijk. Keyner: 'De dag voor de hoorzitting kon er opeens wel worden gepraat. Je ziet: je kunt onderhandelen wat je wilt, maar je hebt wapens nodig om een tegenpartij aan tafel te krijgen die bereid is de portemonnee te trekken.'

Ter Haar en zijn collega's van het ministerie van Financiën bespeurden rivaliteit tussen de twee stichtingen, die in bepaalde situaties wel een tactiek leek om de verzekeraars tegen elkaar uit te spelen. Waar het Wendelgelst vooral te doen leek om de zeer rotte appelen uit te zeven (meestal contracten waarbij de premies voor overlijdensrisico groter waren dan de jaarlijkse of maandelijkse inleg, waardoor het toch al karige rendement op nul of minder kon uitkomen) concentreerde de club van Verliespolis zich simpel uitgedrukt op de gehele inboedel. 'Jeroen is een begaafd spreker,' aldus analyseert Keyner zijn 'opponent' zo diplomatiek mogelijk, 'maar ongelooflijk wispelturig en emotioneel. Zo onberekenbaar als Stalin zou ik bijna willen zeggen. Op het ene moment dacht je te maken te hebben met je grootste vriend, maar tien minuten later liep hij om een in onze ogen kleinigheid weg met slaande deuren en tranen in de ogen, terwijl hij uitriep: ik heb het helemaal gehad met jullie! Dan moest een van de verzeke-ringsdirecteuren hem met lieve woordjes overreden terug te komen.'

Errol Keyner leerde het begrip 'salamitactiek' (je doel in fases realiseren) bij de eindeloze onderhandelingen waarvan de belangrijkste afspraken in ruim 2000 e-mails bewaard zijn gebleven in zijn computer. De vreemde taferelen, opgeroepen door de soms zichtbare rivaliteit, werkten niet alleen maar in het nadeel van de belangenbehartigers namens de consument. 'Het kon gebeuren dat Jeroen Wendelgelst in het zicht van een deal opsprong en kwaad wegliep en zich vervolgens wekenlang niet liet zien. Afgezien van het feit dat het nogal merkwaardig was je zo te gedragen in het gezelschap van een van de grootste bazen uit het Nederlandse bedrijfsleven, werd er ook gedacht dat we een kunstje flikten. Dat het een onderdeel was van onze tactiek om zo veel mogelijk te bereiken. En die onderhandelaars keken ons vuil aan. Je zag ze denken: dit is een spel. Maar het was geen spel. Jeroen deed alles alleen bij zijn stichting, heel knap. Maar ja, hij kwam ook rustig niet opdagen, of verscheen een uur te laat. Zo gebeurde het bij een afrondende bijeenkomst met Nationale-Nederlanden, in wat bekendstaat als De Schoen van ING, op de bovenste verdieping met een butler erbij, dat Jeroen weer eens zei: "Ik ga naar bed, ik ben veel te moe." Zijn belangrijkste eisen voor de zogeheten stroppenpot waren al gehonoreerd. "Bel me maar, als jullie er ook uit zijn," zei hij bij het weggaan. Dat gebeurde midden in de nacht, ik dacht om een uur of drie. Wij waren er ook uit.

Goed, Lars Friesen, de grote baas van Nationale-Nederlanden belt, maar er wordt niet opgenomen. Hij besluit om zijn chauffeur langs het huis van Wendelgelst te sturen in het nabijgelegen Amstelveen, want: afspraak is afspraak. Die belt aan omstreeks half vier, komt Jeroen aan de deur in pyjama en die begint me die arme man toch uit te schelden! Op de voicemail van Friesen heeft hij het nog eens dunnetjes overgedaan, waarbij hij totaal over zijn toeren de directeur dreigde met een rechtszaak, als hij hem nog één keer durfde te storen midden in de nacht. We waren erbij, toen hij die afluisterde. Dat is Jeroen Wendelgelst.'

Voordat de twee partijen zich voorgoed manifesteerden als een en dezelfde tegenstander gebeurde wat Keyner zich herinnert als een van de merkwaardigste incidenten uit het gehele woekerpolisdossier. 'Het was een rond één uur 's nachts, we zaten met Delta Lloyd aan de onderhandelingstafel,' vertelt de pleitbezorger van de VEB, 'en het zag ernaar uit dat we niet verder kwamen. Jeroen zei: "Ik ben zo moe, ik ga slapen." En hij had gelijk: die onderhandelingen vraten energie. Wij zaten met Verliespolis nog wat na te praten aan de overkant van het advocatenkantoor waar we hadden onderhandeld, gaat de telefoon, ik dacht dat het iemand van het ministerie was of het Verbond en die zei: weten jullie wel dat Woekerpolis Claim aan het onderhandelen is met Delta Lloyd? Wij sputterden nog tegen en zeiden: onmogelijk!

Het bleek dat Jeroen en de andere onderhandelaar Kruithof in de bosjes hadden zitten wachten tot wij weg waren om zelf wel een akkoord te sluiten. We hebben toen midden in de nacht het besluit genomen, samen met het Verbond en het ministerie, om de onderhandelingen de volgende ochtend om negen uur voort te zetten. Vóór alles moesten wij als stichtingen een en dezelfde deal sluiten. Op de website van Consument & Geldzaken stond het akkoord van Woekerpolis Claim al vermeld, maar dat persbericht moest worden ingetrokken. Terwijl Jeroen lekker lag te slapen, hij had immers al een akkoord, hebben wij na een vrijwel slapeloze nacht in verschillende kamers van het ministerie van Financiën de puntjes op de i gezet. Onderhandelen bestaat voor een groot deel uit wachten, niet mijn sterkste punt, maar nu was het ook hard tegen hard. Ter Haar liep als een koerier heen en weer tussen de verschillende vertrekken. Wij wilden heel principieel beneden de minimumnorm van Wabeke (2,5 procent aan kosten over de waarde van de polis) uitkomen.' In de praktijk betekent het percentage dat jaarlijks gemiddeld, over de gehele looptijd gerekend, 40 procent van de inleg aan kosten mag worden gerekend. Let wel: exclusief de eventuele premie voor overlijdensrisico.

De gelegenheidskoerier van Financiën meldde dat Delta Lloyd daar nooit genoegen mee zou nemen, omdat in het verlengde van deze deal Nationale-Nederlanden en Fortis daar volgens hem ook nooit mee akkoord zouden gaan. Deze bedrijven waren toen nog niet afhankelijk van staatssteun. 'Toen heb ik gezegd,' vertelt Keyner, 'nou meneer Ter Haar, dan hebben we oorlog. Dan ga ik nu spreken namens de Vereniging van Effectenbezitters. Dit is het zoveelste bewijs dat hier sprake is van een kartel. Overal elders in de zakenwereld word je om dezelfde reden afgemaakt. Nu gaan echt alle luiken open: het kartel moet doorbroken worden. Binnen vijf minuten was hij terug van de kamer waar de onderhandelaars van Delta Lloyd verbleven met de deal van 2,45 procent. Een paar miljoen extra slechts in dit specifieke geval, maar ons ging het vooral om het principe.'

Keyner is ervan overtuigd dat het verzekeringswezen als kartel opereert. 'Het ziet eruit als een kartel, proeft en ruikt als een kartel en gedraagt zich als zodanig. Hier ligt volgens mij de basis van de problemen met de woekerpolissen.' Om niet verkeerd begrepen te worden, verwijst hij graag naar schandalen in de bouwsector, waar een kartel als bewezen werd beschouwd.

'Tot twee jaar geleden was ik zo naïef te geloven dat dat de enige sector was in Nederland waar met geld werd geschoven, en zwart werken en onderlinge prijsafspraken heel normaal waren. Ik ben inmiddels een beetje minder naïef.' Wat Keyner nog het meest dwarszit, is dat overheidsinstanties en politiek het weten, maar doen alsof hun neus bloedt. 'Misschien vinden ze het gevaar te groot dat maatschappijen in deze sector omvallen wanneer wel echte concurrentie losbarst, met het risico van een grote systeemcrisis. Ik zeg dit niet zonder goed na te denken. Vanuit de klant gezien is hier iets gaande wat qua marktmechanisme niet gezond is. Blijkbaar weegt de stabiliteit van het financiële systeem zwaarder. Het is de enige rationele verklaring die ik kan geven voor het feit dat politiek en overheid niet werkelijk hebben ingegrepen, of daarbij in ieder geval nog steeds fluwelen handschoenen dragen.'

Het is onnozel, zegt Keyner, om met kortetermijndenken de aandeelhouders mild te stemmen. Daarom maakt hij zich zo boos, juist met de pet op van belangenbehartiger namens effectenbezitters. 'Ik neem het de betreffende bestuurders en commissarissen zeer kwalijk dat ze alleen gedacht hebben: laten we de winst oppompen op korte termijn door onze klanten slechte producten aan te bieden met te hoge kostenstructuur of die kosten te verbergen.' Dat is simpelweg het verhaal van de woekerpolissen. DSB en al zijn rotte appels in het kwadraat. Die hebben het alleen maar van anderen geleerd. Je wilt als betrouwbare verkoper toch dat je klanten ook over tien jaar weer een product bij je komen kopen?

Delicaat onderwerp voor een belangenbehartiger als de Vereniging Eigen Huis, afhankelijk van de contributies van de leden, is het 'afbreukrisico' dat wordt gelopen bij dergelijke massaclaims. Als het resultaat onverhoopt onvoldoende wordt geacht door de leden kan dat leiden tot veel boze reacties en zelfs opzeggingen. Volgens goede bronnen is dat een van de redenen geweest voor de Consumentenbond (dat wel diverse keren waarschuwde voor de hoge verborgen kosten van de woekerpolissen) deze keer bescheiden op de achtergrond te blijven. Achteraf beschouwd was de bond niet echt blij met de uitkomsten (van de Duisenbergregeling) bij Legio Lease en het dossier-Woekerpolissen zou ongeveer tien keer gecompliceerder zijn. Volgens Keyner moest deze strijd namens de VEB hoe dan ook gevoerd worden, alleen al om de macht van wat hij het verzekeringskartel noemt aan te tonen en indien mogelijk met wortel en tak uit te roeien.

De prominente VEB-bestuurder kan diverse bewijsstukken overleggen voor zijn boude stelling dat 'hier machtsfactoren gaande zijn die veel verder gaan dan je zou mogen en kunnen veronderstellen als consument'. Hij weet dat bedrijven die wel een redelijke kostenstructuur hebben door hun eigen Verbond van Verzekeraars ervan worden weerhouden de wapenfeiten te communiceren. En daarmee dus advertentiecampagnes in de trant van 'wij zijn de goedkoopste, kom bij ons, lieve klant' eigenlijk in de weg staan. Dat geloof je natuurlijk niet als argeloze consument. 'Maar juist het bestaan van die goedkopere bedrijven wordt zo veel mogelijk geheimgehouden.'

Nog wranger en typerender vond hij de ontdekking dat iedere afspraak, of het nu komma's of punten betrof, met één afzonderlijke gesprekspartner tien minuten na afloop van de betreffende sessie bekend was bij de zogenaamde concurrent. 'Het ging wat mij betreft zelfs zover dat ikzelf gebruik kon maken van deze wetenschap. Ik zal geen namen noemen, maar als ik wist dat partij x moeilijk bereikbaar was, vertelde ik partij y van een detail dat belangrijk was om tot een schikking te komen met de eerste. En inderdaad: die tactiek werkte voor mij feilloos. Werd ik de volgende dag door partij x gebeld. Scheelde mij een hoop tijd. Bizar toch!

Ik heb ook meegemaakt – weer mag ik geen namen noemen – dat we bij een telefonische vergadering in gesprek waren met de zeer duur betaalde advocaten van twee grote verzekeraars en dat zij ons bij een bepaald onderwerp verzochten de betreffende details onder ons te houden. Moet je na-gaan: topadvocaten die geen beslissing durven nemen omdat de twee bazen van deze juristen rechtstreeks contact met el-kaar bleken te hebben. Ze wisten echt alles van elkaar, en dat geldt ook voor de andere verzekeraars. Het bedrijfs-DNA zo-als ik het noemen wil, lag bij elkaar op tafel. Kostenstructuur, sterftetafels, alles! Ze wisten dus het meest intieme en ver-trouwelijke wat je van je concurrent wilt weten, maar dat je nooit prijs zal geven in een gezonde markt.'

Hoe zuur hij het ook vindt dat de goede bedoelingen van Verliespolis en Woekerpolis Claim nu worden betwist door te beweren dat eigen geldgewin (is kattengespin) belangrijker is geweest dan goede compensaties uit het vuur te slepen voor de consument, de conclusie dat het bestaan van woekerpolis-sen mogelijk is en was door kartelafspraken vindt Errol Key-ner misschien nog wel belangrijker en alle kritiek waard. 'Dat we zakkenvullers zouden zijn, doet pijn. Goede advocaten zijn nu eenmaal duur. De bewering dat we er 22 miljoen doorheen hebben gejaagd, klopt in ieder geval niet. We moe-ten nog reserves achter de hand houden voor eventuele rechtszaken in de toekomst.

Ik ben trots op de onderhandelingsresultaten. Maar je zult me nooit horen zeggen dat de regelingen ervoor gezorgd heb-ben dat de woekerpolis nu een redelijk product is geworden. De scherpe kantjes van de kosten hebben we eraf gekregen, maar het is nog steeds een dure polis. Ik ben ervan overtuigd dat veel polishouders, juist ook bij de duurdere varianten, kansloos geweest zouden zijn bij de rechter, omdat ze juri-disch goed zijn dichtgetimmerd. Voor die mensen hebben wij ook een regeling kunnen treffen. Daar ben ik trots op.'

Straks, als de individuele compensaties bekend worden, kun je volgens deze onderhandelaar zeker zijn van een 'lawi-ne aan kritiek'. Van de ongeveer 5 miljoen huishoudens zullen er 2 of 3 miljoen zeggen: schande, ik krijg helemaal niets. En de overige polishouders krijgen misschien 500 euro en die zullen waarschijnlijk ook roepen: schande! De kredietcrisis heeft op de achtergrond ook een belangrijke rol gespeeld, ten nadele van de bedrogen klant. Keyner: 'Als we harder hadden onderhandeld, waren er misschien wel bedrijven omgevallen. Daar hebben de consumenten helemaal niets aan. Veel mensen zullen teleurgesteld zijn met hun compensatie en concluderen: ik heb een woekerpolis, wat een rotproduct! Nou, met dat laatste ben ik het helemaal eens.' En de les voor de verzekeringssector? 'Zolang die zich in Nederland blijft gedragen als een kartel, zullen er geen lessen worden geleerd.'

Belangrijke ministeriële bronnen beschouwen de affaire nu min of meer als afgedaan, 'in maatschappelijke zin opgelost'. De reputatieschade van de verzekeringsmaatschappijen is beperkt gebleven. Jammer dat de consumenten bij beleggingshypotheken vermoedelijk met een restschuld zullen blijven zitten, maar 'gelukkig' beschikt het merendeel van de Nederlanders tegenwoordig over een goed pensioen. De overheid zal in de toekomst beter moeten opletten bij het uitdelen van fiscale voordelen die 'pervers gedrag' kunnen uitlokken. Maar zoals het er nu naar uitziet, zal het rechtbankapparaat niet 'totaal verstopt' raken met een eindeloze rij rechtszaken. Met een dergelijke vloedgolf 'die Nederland had kunnen ontwrichten' was wel degelijk rekening gehouden.

De betreffende politici hebben waarschijnlijk onderschat hoe de marktwerking precies in elkaar zit. Alleen de tussenpersonen zijn hier beter geworden van de concurrentieslag, zo zegt een anonieme topambtenaar. Maar een kartel? Onzin. Dat verzekeraars zo snel wisten van afspraken is helemaal geen bewijs. 'Als hier op een van de ministeries iets belangrijks gebeurt, weet binnen een halve dag heel Den Haag het.' Het lijkt misschien alleen een beetje 'kartelachtig'. 'Er wordt heel goed naar elkaar gekeken. Als iemand beweegt, wordt dat meteen doorgevlagd. Iedereen probeert een marktaandeel af te snoepen. Het moet alleen niet veel slechter zijn dan de ander, maar ook niet veel beter om het maximale voordeel te halen. Dat nu is juist wél een heel goed voorbeeld van marktwerking. Gelukkig is er eindelijk rust in de tent.'

13 Rupsje Nooitgenoeg

'Stukjes financiële dienstverlening in een pakketje ge-propt, in een combinatie die door geen consument meer kon worden begrepen.' De woekerpolis uitgelegd door Jan Wolter Wabeke, de ombudsman wiens naam voor eeuwig is verbonden aan de compensatieregeling waarvoor verze-keraars tot dusver 2,5 miljard euro uittrokken. 'Verwacht geen zekerheid van een verzekering door te vertrouwen op de onzekerheid van een belegging.' Die kwalificatie is van Job de Ruiter, de voorganger van Wabeke. Hoe je 'die on-dingen' ook noemen wilt: de affaire is met geen tien brandweerkorpsen meer te blussen.

Daar is Jan Wolter Wabeke, op en top heer, de felblauwe stropdas zelf geknoopt, tot in de puntjes verzorgd. Niets op aan te merken. Statig, rijzig, grijzig, voormalig rechter en nu een magistraat die geacht wordt te toveren, want dat wordt anno 2010 eigenlijk wel gevraagd van de ombudsman die hele emmers vol financiële bagger over zich heen krijgt gekieperd dankzij die 'ondingen'. Ja, zo noemt hij ze: de producten die dankzij Antoinette Hertsenberg van *Tros Radar* 'woekerpolis-sen' zijn gaan heten. Hij is van het Klachten Instituut Finan-ciële Diensten (Kifid), vluchtheuvel voor wanhopige consu-menten die zich bedrogen voelen door hun verzekeraar.

Dat krijg je ervan als je beleggen en verzekeren door elkaar gaat halen. Wat tot het vertrek van Job de Ruiter in 2000 nog Ombudsman Verzekeringen heette, met twee hoofdletters te schrijven, moet nu anders worden genoemd alleen al vanwege die rare kruisbestuiving, door de twee ombudslieden ongeveer op dezelfde wijze geanalyseerd. De Ruiter, voormalig minister van Justitie met veel interesse voor deze sector ('Ik ben in Utrecht een tijdje assistent geweest van de expert op gebied van verzekeringsrecht'), drukt zich het mooiste uit: 'Beleg, als je wilt beleggen. Maar verwacht geen zekerheid van een verzekering door te vertrouwen op de onzekerheid van een belegging. Die combinatie acht ik zeer tegenstrijdig.'

De Ruiter, de oude meester, ging het op zijn zeventigste wat rustiger aan doen, maar werd zes jaar later toch weer gevraagd voor de commissie die inzicht moest geven in totaal ondoorzichtige producten, gekoppeld aan beleggingsverzekeringen. Rupsje Nooitgenoeg, een term die op deze pagina's vooral door Wabeke wordt gebruikt, was in opkomst. 'Verzekeringsmensen, echt zuinige types over het algemeen, maakten plaats voor managers,' aldus De Ruiter. 'Ik kom nog uit de tijd waarin aandeelhouders weinig of niets te vertellen hadden. In onze ogen waren dat een beetje zielige figuren die alleen maar hun geld ter beschikking mochten stellen. Banken waren ook nog heel zuinige instellingen. Als je daar ging werken, wist je: ik doe dit waarschijnlijk voor mijn leven, maar ik zal er niet rijk mee worden. Ja, de bank was een meneer.'

De meneer heeft last gekregen van grootheidswaanzin en je kunt zien wat er dan gebeurt: hoogmoed komt vroeg of laat voor de val. De vraag of de toezichthouders niet wat laat hebben ingegrepen pareert De Ruiter met: 'Je kunt voor hetzelfde geld vragen, of de geschiedenis goed is zoals die is verlopen.' Spijt komt altijd achteraf, en je kunt er nu wel wat losse kreten op loslaten ('Zoals: schande!') maar ja wat heeft de consument daaraan? 'Ik vind het een beetje lastig om een polis te vergelijken met een naaimachine, maar als die het niet goed doet, ga je terug naar de winkel en vraagt een andere of je geld terug. Bij een polis kom je er pas veel later achter dat "die het niet doet". Het is volgens mij niet zo dat de verzekeraars hun klanten willens en wetens hebben willen oplichten. Maar goed voor je klant zorgen betekent volgens mij minimaal dat je aardige producten verkoopt.'

Job de Ruiter hoopt maar dat de mensen na 'deze reuzenschok' alsjeblieft 'kritischer zijn geworden' en natuurlijk ook dat de aanbieders voor betere informatie zorgen ('want daar draait het om') en dat de slechteriken onder de tussenpersonen maken dat ze wegkomen. En over reuzenschokken gesproken: wisten we eigenlijk wel dat er in zijn tijd als minister 'een soort van rel' (in 1970) is geweest met koopsompolissen van ministers? De kranten stonden er vol van, want ja een rel en nog wel een met in de hoofdrol ministers die daarbij zouden profiteren van 'riante fiscale voordelen'. Sappiger kan haast niet. 'Ik vond het persoonlijk nogal ver gaan dat bewindslieden moesten opgeven welke polissen zij in huis hadden, erg privé mijns inziens. O nee, zelf heb ik nooit een beleggingsverzekering afgesloten. Rare dingen vond ik het.'

Waar de huidige ombudsman nog niet genoeg heeft aan veertig medewerkers, volstond in de tijd van De Ruiter een staf van maximaal vier personen, inclusief hemzelf, om assurantiegeschillen op te lossen. 'Klachten werden enorm zorgvuldig behandeld. Als het een behoorlijk grote zaak betrof, en de reactie van de verzekeraar was onbevredigend naar mijn zin, ging ik erop af. Dan bezocht ik de betreffende directeur. Soms stond de verzekeraar strikt naar de polisvoorwaarden in zijn gelijk, maar als ik het een rotgeval vond, werden mijn voorstellen ter compensatie eigenlijk altijd ingewilligd. Het was een soort morele plicht die voortkwam uit het idee dat als je toch niets wilde doen als verzekeraar voor de klant je net zo goed geen ombudsman hoefde aan te stellen. Het was ook nog de tijd waarin de klant de verzekeraar meer vertrouwde, alhoewel juist klagers de sector geen warm hart toedroegen.'

Voor ingrijpende maatregelen met betrekking tot wat

woekerpolissen zouden gaan heten, was het in zijn tijd nog te vroeg volgens De Ruiter ('De hausse moest nog op gang komen; het gold zeker voor de klachten'), die menigmaal waarschuwde voor de ondoorzichtigheid van de nieuwerwetse producten. Echte bevoegdheden had en heeft de ombudsman daartoe ook niet. 'Dan moet je een paar hemeltjes hoger verkeren,' zegt de voormalige bewindvoerder.

Het woord alleen al, zegt zijn opvolger Jan Wolter Wabeke en hij proeft de letters een voor een alsof het bedorven etenswaren zijn. P-r-o-d-u-c-t! 'Het wekt bij iedereen associaties op alsof er iets moois moet worden verkocht. Product, steeds mooier en ingewikkelder. Een gadget. Behoefte kweken waar die niet nodig is. Je werd hebberig gemaakt. Stukjes financiële dienstverlening in een pakketje gepropt, in een combinatie die door geen consument meer kon worden begrepen.'

Koning, keizer, admiraal, een woekerpolis hebben we allemaal. Hoe hard en hoelang roept Wabeke nu al dat dit 'product' helemaal niet geschikt is voor de meeste Nederlandse consumenten? En nu sommige media, met helemaal voorop *Tros Radar*, zich hebben ontfermd over de woekerpolis, alsof het een zwak, misbruikt en verloren weeskind is, ja nu begint de halve journalistiek achter het fenomeen aan te lopen. Sexy, meneer, een kijkcijferkanon van jewelste en goed voor de advertentieverkoop. Wie had kunnen denken dat die saaie verzekeraars ooit op de voorpagina's van dag- en weekbladen zouden belanden?

'Het is voor mensen zoals ik en Job de Ruiter een beetje cru te constateren hoe het is gelopen met de media-aandacht. Wij konden roepen wat we wilden, rapportages schrijven aan de lopende band, niemand die het wilde weten. Zelfs de Consumentenbond had geen interesse. Maar dan plotseling rent iedereen elkaar voorbij om het onderwerp te beschrijven of er een tv-programma aan te wijden. Claimstichtingen op te richten: mensen sluit u bij ons aan!' Nadat de overheid eerst het onderzoeksbureau IFO op pad had gestuurd en toen hun bevindingen niet snel genoeg kwamen de AFM (Autoriteit Financiële Markten) opdracht had gegeven zich uit te spreken over het verleden van 'de ondingen', ja toen was de ellende niet meer te overzien. Of zoals Wabeke zich plastisch uitdrukt: 'Met geen tien brandweerkorpsen meer te blussen.'

Je kunt Wabeke niet bozer krijgen dan door erop te wijzen dat hij betaald wordt door de broodheren die alleen maar naar elkaar wijzen waar het om foute polissen gaat. Zelfs professor Arnoud Boot kon het niet laten om op te merken dat de ombudsman die boven alle partijen moet staan wel dankzij die ene partij verzekerd is van een maandelijkse wedde. Iedereen kent toch het spreekwoord: wiens brood men eet, diens woord men spreekt? De heer van stand springt van deze verdachtmaking bijna uit zijn vel.

Hij begint nog keurig met antwoorden op de vraag wie het Kifid betaalt. 'Dat is een verplichte contributie van alle aangesloten bedrijven, verzekeraars, tussenpersonen en banken. Voor de AFM geldt precies hetzelfde. Ik erger me eraan dat sommige commentatoren de conclusie trekken dat het "dus" geen onafhankelijke instantie is.' Vervolgens: 'Ik vind het eigenlijk een perfide gevolgtrekking, waar ik kwaad over kan worden. Mag ik een retorische vraag stellen? Wie betaalt de bestuursrechter? Wie betaalt de Nationale Ombudsman bij wie je kunt klagen over de overheid? De overheid! Wie betaalt de FIOD en zijn opsporingsambtenaren? De belastingbetaler! Ja, die moet zijn eigen opsporing betalen.' En dan: 'Het is schandelijk om bij uitspraken die je niet bevallen te zeggen: zie je wel, "ze" zijn niet onafhankelijk, want "ze" worden betaald door hun eigen bedrijfstak.'

Wabeke – die zijn vertrek als ombudsman (later dit jaar) heeft aangekondigd – wil ook even gezegd hebben dat er van de zijde van de consument of de Consumentenbond nóóit één moment van bereidheid is geweest om een financiële bijdrage te leveren aan het klachteninstituut. Nooit! Het Kifid deelt sinds 2007 een gebouw met 35 andere klachteninstituten, variërend van loodgieters tot het reiswezen. Daarvoor werd kantoor gehouden in hetzelfde gebouw, op een paar honderd meter afstand van het Verbond van Verzekeraars. Helemaal waar. 'Maar denkt u nu echt dat gebruikmaken van dezelfde lift kan leiden tot de conclusie dat er "dus" geen sprake kan zijn van een onafhankelijk oordeel bij geschillen?' Nogmaals: 'Ik vind het echt perfide en schandelijk om mensen aldus verdacht te maken. Ga maar fijn naar de burgerlijke rechter met je klacht, zeg ik dan. Als je het niet vertrouwt en je vindt het allemaal niks: hoepel dan alsjeblieft op.' Zo, dat lucht op.

De hoogste tijd om uit te leggen waar de Wabekenorm vandaan komt, een term waar de ombudsman van zijn leven niet meer vanaf komt. Hij zegt het geen wapenfeit te vinden om trots op te zijn, maar veel meer een uit nood geboren oplossing. Moesten we dan tot 2020 gaan procederen, of was het beter te wachten dat hij en zijn medewerkers hun kantoor niet meer binnen konden komen zonder bedolven te worden onder een vracht aan klachtenpost? Die claimstichtingen waren aan het praten, praten en nog eens praten, daar zat ook helemaal geen schot in. 'Het wachten was op voorbeeldzaken. Na elf maanden kwamen ze met Delta Lloyd aanzetten. Maar zelf was ik in de logistieke problemen gekomen, steeds meer klachten, meer dan 7000 in 2009. Toen heb ik zelf maar een schot voor de boeg gegeven in de vorm van een algemene aanbeveling.'

Je kunt erover debatteren of Wabeke daartoe wel de reglementaire bevoegdheid had ('Je kunt heel goed zeggen dat ik die niet had'), maar in maart 2008 had hij zijn ei (door criticasters een stinkei genoemd) gelegd. Tot woede van bijvoorbeeld de veb, de Vereniging van Effectenbezitters, was de ombudsman bij zijn gegoochel met cijfers uitgegaan van een fictief rendement van 6 procent. Een beetje belegger neemt nooit genoegen met die laffe marge. Wabeke: 'Waarom zes? Ik moest van een ijkpunt uitgaan. Het moest een rendement zijn, ergens tussen veilig sparen en beleggen in, in elk geval beter dan een spaarrekening. Gunstig noch ongunstig, ergens tussenin, ook na inhouding van de kosten. Dan moet je, zo redeneerde ik, ten minste 3,5 procent aan rendement overhouden. Dus moet je als verzekeraar niet meer kosten mogen inhouden dan 2,5 procent over de belegde waarde.'

Duidelijk? Heel duidelijk. Maar waarom moest Wabeke toch nog een procentje in het ongewisse laten, naar de mening van de eerder geciteerde jonkheer Gilles Hooft Graafland 'het domste wat hij kon doen'. Want het was voorspelbaar dat de verzekeraars, die zich inmiddels morrend hadden neergelegd bij het ingrijpen van de ombudsman, ogenblikkelijk 3,5 procent als uitgangspunt zouden nemen voor de latere schikkingen en zeker niet de 2,5 procent die aanvankelijk uit de hoge hoed was getoverd. En een procentje lijkt niet zoveel misschien, maar bij looptijden van dertig jaar leidt dat tot veel minder opbrengst.

Tussendoor een kleine les in rekenkunde van 'meester' Erwin Bosman, actuaris. Stel, u legt gedurende dertig jaar 100 euro per maand in met een gemiddeld rendement van 6 procent, uitgangspunt voor wat de Wabekenorm zou gaan heten. Als de leverancier dan jaarlijks 2,5 procent (van de waarde van uw polis) mag inhouden, krijgt u uiteindelijk 64.115 euro in handen. Maar zou er 3,5 procent worden ingehouden, een verschil van slechts 1 procent, dan ontvangt u aan het eind van de looptijd ruim 10.000 euro minder. Elke opslag van 1 procent levert al snel 16 procent minder opbrengst op. Het is maar dat u het weet.

Zulke rekensommen maken ook begrijpelijk waarom een expert als Arnoud Boot, die een totale kosteninhouding van 1 à 1,5 procent per jaar al heel redelijk vindt, de werkelijke schade van de consument veel hoger schat dan wat de verzekeraars nu opzij hebben gelegd voor de schikkingen. Als we de actuarissen, de wiskundig geschoolde boekhouders, moeten geloven, betekent een kostenonttrekking van 2,5 procent op jaarbasis al dat ongeveer vier dubbeltjes op elke ingelegde euro blijft hangen aan de strijkstok van de verzekeraar. Is dat niet ruim voldoende om luxekantoren duurzaam te verwarmen, aandeelhouders tevreden te stellen en bonussen te blijven uitreiken? 'De schattingen van professor Boot,' zegt Wabeke, 'zijn onaanvaardbaar voor de markt, maar geen reden voor mij om het onaanvaardbaar erover uit te spreken. Want de verzekeraars hebben zelf een fout gemaakt die ze ook maar zelf moeten oplossen. Maar ik wil niet het onderste uit de kan hebben, omdat ook andere partijen boter op hun hoofd hebben gehad. Dan bedoel ik de consument die met het idee "geen gezeik, iedereen rijk" de contracten niet goed heeft gelezen.

Die consument gooide gewoon tien mille op tafel bij de tussenpersoon en die regelde snel een polisje dat in een schoenendoos werd gegooid. Iedereen reageerde op de glossy folders. De tussenpersonen streken tientallen procenten aan provisie op. Een tweede partij met boter op het hoofd. Dan had je de werkgevers die bij hun bedrijfsspaarregelingen ook niet goed opletten ten gunste van de tussenpersonen. Het ging om aantrekkelijke windhandel. En dan had je ook nog te maken met de overheid, die deze windhandel fiscaal aanmoedigde en de belastingvoordelen ook weer even gemakkelijk introk, met toestemming van het parlement. Voor veel bezitters van die spaarloonregelingen betekende dat premievrij maken, uitermate nadelig voor die consument. Vandaar dus mijn redenering dat waar veel partijen schuld treft, er ook onderhandelingsruimte moet zijn. Daarom die ene procent speelruimte, die inderdaad meteen werd ingepikt door de verzekeraars.'

Wabeke wil ook gezegd hebben dat zijn ei aanvankelijk

'honend in een hoekje werd gegooid' door alle betrokkenen, de verzekeringsmaatschappijen én de claimadvocaten. Maar tot grote vreugde van het ministerie van Financiën, dat een tsunami aan rechtszaken op Nederland af zag komen, kwam de aanbeveling toch weer op tafel bij de schikking met Delta Lloyd, 'uit de prullenmand gehaald, afgestoft en gladgestreken'. Wat je er verder ook over kunt zeggen: het was een duidelijk getal, die 2,5 procent, en ja, dat partijen met elkaar in de clinch lagen over dat ene procent voor de onderhandelingsruimte is *all in the game*. 'Ik heb wel heel duidelijk tegen de verzekeraars gezegd: 2,5 procent is de norm en niet 3,5.' De laatste marge geldt alleen in uitzonderlijke gevallen en voor de zogeheten garantieproducten. Daarbij mag de verzekeraar soms zelfs gaan tot 4,5 procent. Koesteren die polissen, want u bent immers verzekerd van een vast eindkapitaal.

Wat nog wel goed moest worden afgeschermd waren de enorme verschillen, en navenante winsten, bij de berekening van premies voor het risico van overlijden, je reinste melkkoetjes die toch ook echt terug naar de stal moesten. Daar zijn nu, als het goed is, maximale percentages voor afgesproken 'want anders zou het weer een bonte boel worden waar niemand wijs uit kon worden'. Er zijn grote partijen als Achmea die tegensputteren en nog steeds van oordeel zijn dat prijsbepaling in Nederland een privilege is van het bedrijfsleven. Maar uitgangspunt voor iedereen, zo vindt Wabeke, moet de regeling met Delta Lloyd zijn. Het geeft sommige verzekeraars ruimte om opslag (maximaal 16 procent) te rekenen bij de overlijdensrisicopremie, en waar sprake is geweest van antieke sterftetafels geen cent.

Het is onvermijdelijk dat bezitters van woekerpolissen ('Ik heb zulke dingen niet. Nooit van die rare dingen gedaan als het gaat om pensioenen en hypotheken') de komende jaren van een koude kermis thuiskomen, zegt ombudsman Wabeke. Even onvermijdelijk is, zo voorspelt hij, dat 'Rupsje Nooit-genoeg' zich gaat aandienen in de vorm van claimadvocaten. Dat is het Nederland van 2010. Als hij het adviseren mag, zegt hij tegen de consument: 'Blijf stil zitten, raak niet in paniek, en blijf volhouden. Als je nog een behoorlijke tijd hebt te gaan, kun je waarschijnlijk nog van de opgaande lijn van de beurs profiteren. Mensen bij wie de looptijd nog maar twee of drie jaar bedraagt, zullen hun verlies moeten nemen. Beleggen betekent nu eenmaal dat je risico neemt.'

Volgens Wabeke moeten consumenten zich goed realise-ren dat tot dusverre de meeste klachten over een woekerpolis door rechters en zijn eigen Kifid ongegrond worden ver-klaard. 'Doorgaans wordt er minder bereikt dan nu kan wor-den terugverdiend met de afgesproken schikkingen. Het is niet zo zeker dat je bij de rechter meer zult kunnen bereiken, al heeft het gebrek aan transparantie bij de informatievoor-ziening de zuiverheid van de contracten aangetast. Was er wel sprake van een zuivere wilsovereenstemming? Als dat laatste niet het geval is, moet je overgaan tot ontbinding van de over-eenkomst. Maar dat is aan de rechter.' Het laatste citaat geeft de kritische burger weer moed.

Wat je volgens hem bij rechtszaken kunt verwachten is dit: de verzekeraar zal hier en daar bakzeil halen, eenvoudigweg omdat de polisvoorwaarden niet transparant genoeg waren. Maar andersom zijn er duurdere producten ('Daar heb je het rotwoord weer') in omloop die wel tot op het bot zijn 'dicht-getimmerd' door de betreffende juristen, en daar zal de rech-ter naar moeten kijken. 'En dat kan leiden tot een volksop-stand,' aldus Wabeke. 'Veel zal afhangen van de ontwikkelin-gen op de beurs. Trekt die niet snel genoeg bij, dan zien de mensen een verpieterd resultaat en komen misschien in ver-zet. We zullen moeten afwachten hoe het gaat, maar deze af-faire is natuurlijk nog lang niet voorbij. Aan de andere kant zeg ik graag: klaar ermee, over en uit, we gaan over tot een nieuw tijdperk met de WFT (Wet Financieel Toezicht).'

Over en uit. Dat was ook zijn reactie toen hij zijn 'norm' besprak op een Kifid-bijeenkomst. Toen de andere gespreks- partners hun twijfels uitspraken over de waarde van deze maatbeker en zich hardop afvroegen of de consument wel recht werd gedaan, stond de rijzige, grijzige ombudsman op, en sprak: 'Dit is de norm, heren, hier zullen jullie het mee moeten doen, en zo wordt die morgen via een persbericht in de openbaarheid gebracht.'

Wat zal het mooi zijn voor de verzekeraars als de zaak eindelijk is opgelost. Ze zitten behoorlijk in hun piepzak, al doen ze zich tegenover de buitenwacht anders voor. Wat zou de les moeten zijn voor deze grootverdieners? De Ruiter vraagt zich af waar- om het altijd maar groter moet. Hij vindt het jammer dat de meeste kleine maatschappijen het afgelopen decennium zijn opgeslokt door multinationals. 'Een paar kleintjes houden die grote jongens scherp.' Misschien kunnen we eens anders leren denken. 'Belangen behoren evenwichtig te zijn voor directie, werknemers, aandeelhouders maar natuurlijk ook de klanten. Bedenk dingen die zinvol zijn voor die klanten.'

Kortetermijndenken gaat uiteindelijk altijd ten koste van het imago. En als dat eenmaal op de helling is beland, gaat het heel hard bergafwaarts. Kijk maar naar DSB, zegt de voorma- lige minister. De ondoorzichtigheid van de 'woekerpolissen' (hij verzoekt om aanhalingstekens) is totaal onredelijk ge- weest. Maar niemand mag hopen dat het allerergste gebeurt en er een verzekeraar voor moet omvallen. 'In de sociale hoek hoorde je vroeger vaak: jan met de pet is altijd de sigaar. Ver- geet die pet maar: de consument krijgt uiteindelijk altijd de rekening gepresenteerd. Triest maar waar: ook in het meest extreme geval, bij een faillissement, is het altijd weer de con- sument die betaalt.'

14 Ik ontwoeker

Helaas, u bent bezitter van een van de 7 à 8 miljoen woe-
kerpolissen die het licht hebben gezien dankzij de creatie-
ve verzekeraars. Wat nu? De zogeheten Wabekenorm stelt
de 'uitvinders' in staat om tot de einddatum van de polis
jaarlijks minimaal 2,5 procent aan onkosten in te houden,
let wel, over de opgebouwde waarde. Het kan heel gemak-
kelijk gebeuren dat in de eindfase uw premie geheel ver-
dwijnt in de bodemloze put van de verzekeraar. In dit
hoofdstuk krijgt u een aantal alternatieven voorgescho-
teld om een einde te maken aan de woekerpraktijken.

Wie zich verdiept in de oorsprong van verzekeringen maakt
kennis met de tontine, een sociaal stelsel waarbij enige personen een kapitaal bijeenbrengen en daarvan rente genieten.
'Sterft er één dan valt zijn aandeel aan de overigen toe,' aldus
de Dikke Van Dale. De verzekering is genoemd naar de Itali-
aanse uitvinder ervan, de bankier Lorenzo Tonti (1630-1695).
Het is nauwelijks nog voorstelbaar, maar verzekeren heeft een
sociale oorsprong en is ouder dan bankier Tonti: goed zorgen
voor je medemens en hem of haar ook goed verzorgd achter-
laten, wanneer het tijdelijke bestaan plaatsmaakt voor de onvermijdelijke grote eeuwigheid. Ook de Perzen bekommer-
den zich al lang voor Christus om de lotgevallen van hun
naasten in de vorm van een levensverzekering in natura. De
doden wisten dat hun geliefden niet aan hun lot zouden worden overgelaten, een mooie aanmoediging om in alle rust de
laatste adem uit te blazen.

In het ongewisse heden van 2010 gaan we op zoek naar oplossingen en alternatieven om de schade van uw veel te dure beleggingspolis zo beperkt mogelijk te houden.

Zoals uit de vorige hoofdstukken is gebleken zijn alle verzekeringsconstructies gekoppeld aan beleggen bijna zonder uitzondering te duur door alle kosteninhoudingen, vaak verborgen. De Wet Financiële Diensten (WFD) en de Wet Financieel Toezicht (WFT) maken, als het goed is, die laatste goochelpraktijken zichtbaar. U hebt sinds 1 januari 2008 recht op een jaarlijks overzicht met daarin gespecificeerd alle kosten en ook de waardeontwikkeling van de beleggingen. Vreemde prognoses op grond van onhaalbare rendementen zijn als sneeuw voor de zon verdwenen. In plaats daarvan lijkt de voorspelling nu op het weer: het kan vriezen, het kan dooien. Die biedt geen enkel houvast meer. Zo kun je ook omgaan met zorgplicht.

De Wabekenorm (en de daarmee verband houdende compensaties) heeft in ieder geval geen einde gemaakt aan de asociaal dure beleggingsverzekeringen. Was het maar waar. Iedere financiële adviseur (je hoeft er geen actuaris voor te zijn) die een klein beetje kan rekenen, weet dat de meeste lopende contracten een bodemloze put blijven voor de consument. Alleen fantastische rendementen op de beurs kunnen de schade enigszins beperkt houden, maar uw verzekeraar is op weg naar de einddatum gerechtigd om jaarlijks 2,5 procent aan kosten in te houden. Let wel, niet van uw premie (was het maar waar), maar over de waarde van uw polis. Het gaat dus niet om die pakweg 2000 euro aan premie die u jaarlijks inlegt, maar om het bedrag dat u al die tijd bij elkaar hebt gespaard en dat misschien wel het tienvoudige van uw inleg bedraagt. 2,5 procent van 2000 euro is 50 euro, maar bij de Wabekenorm praten we dus over 10 x 50 euro. Die inhouding is jaarlijks en exclusief de overlijdensrisicoverzekering.

Waaraan heeft de verzekeraar zo'n riante inkomstenbron

verdiend na alle konijnen die in voorgaande hoofdstukken uit de immense hoed zijn gesprongen? Het kan er heel goed toe leiden dat bij een nog tien jaar lopend contract de verzekeraar jaarlijks meer verdient dan u inlegt als premie. Geheel legitiem, want de norm van Jan Wolter Wabeke is immers omhelsd en gekust door de claimstichtingen die uw belangen hebben behartigd.

Er zijn drie of vier mogelijkheden. U doet niets, denkt dat de verzekeraar met een mooie compensatie komt (de brieven daarover verstuurd door een aantal maatschappijen zouden die indruk kunnen wekken) en zult later ontdekken dat u opnieuw bij de neus bent genomen. Want u krijgt niets, of hooguit een paar honderd euro. Het is dan waarschijnlijk te laat om nog gerechtelijke stappen te ondernemen. Om 'verjaring' vóór te zijn, is het in ieder geval raadzaam een zogeheten stuitingbrief te sturen, waarvan een voorbeeld staat in hoofdstuk 21. Daarmee wordt de mogelijkheid om juridische stappen te ondernemen met drie jaar verlengd.

Stuur die brief aangetekend en denk eraan: het gaat hier om de beleggingsverzekeringen en niet om schadeproducten zoals een uitvaartpolis. Echt gebeurd: schademaatschappijen die sedert het losbreken van de affaire met Legio Lease stuitingbrieven ontvangen van klanten die de noodklok hebben horen luiden maar niet weten waar de klepel hangt. Ze hebben hun auto verzekerd of hun begrafenis en denken van doen te hebben met een woekerpolis. Er zijn voorbeelden bekend van stuitingbrieven bij uitvaartverzekeraars van 'gedupeerden' die helemaal niet in hun bestand voorkomen. Tja.

Nietsdoen dus (maar wel een stuitingbrief sturen) of beslissen dat afkoop een betere optie is dan bijvoorbeeld nog tien of twintig jaar steeds maar geld storten op de onverzadigbare bankrekening van de verzekeraars. Zíj zijn dus wel verzekerd van een inkomen, terwijl u nog maar moet zien wat zij met uw centjes presteren op beleggingsgebied. Uw verzekeraar of/en uw tussenpersoon (die zijn provisie misschien nog niet helemaal heeft veiliggesteld) zal u ervan proberen te overtuigen dat tussentijds beëindigen van een contract ook in fiscaal opzicht 'zeer ongunstig' is. Want ja, negatieve rendementen kunnen niet door de belastinginspecteur worden belast, zo snappen wij inmiddels.

Tien keer bijvoorbeeld 3000 euro premie per jaar (nog te betalen) zal op een internetrekening waarschijnlijk meer opbrengen dan de ooit zo rooskleurig uitziende offerte van uw adviseur, die er alleen maar zelf beter op is geworden. Als de beurzen onverhoopt kelderen, en al helemaal als dat gebeurt in het zicht van de haven, zal de offerte van destijds nog meer lijken op een fata morgana. Uw verzekeraar daarentegen heeft zich volledig ingedekt tegen de eventuele stuiptrekkingen van de wereldeconomie.

U kunt ook, zoals eerder gesuggereerd, een goede advocaat inhuren of aansluiting zoeken bij Consumentenclaim, dat werkt op basis van no cure, no pay. Misschien staat er wel een nieuwe Piet Koremans op, die zich geheel pro deo opwierp voor klanten van Legio Lease en in een recent stadium DSB, en die een vereniging begint om de miljoenen woekerpolishouders voor te gaan in de strijd. Wie weet kan de nieuwe stichting Foppolis (zie hoofdstuk 18) het voortouw daartoe nemen, zoals Koersplandewegkwijt dat heeft gedaan bij Koersplan, een product van Aegon, en naar het zich laat aanzien met succes. Eén ding is zeker: met nietsdoen, uit het raam kijken of de vogeltjes vandaag weer voorbij vliegen, bereikt u zeker niets.

Een middenweg tussen bovenstaande varianten is er ook nog. U zoekt een andere tussenpersoon of liever nog onafhankelijk financieel deskundige (let op: uw bank werkt ook in veel gevallen als een tussenpersoon met alle provisies van dien) om uw portefeuille nog eens goed te laten doorlichten. Meestal moet u die expertise kopen tegen een uurtarief. Daarmee wordt voorkomen dat de deskundige zich laat leiden door de hoogte van provisies, zoals bij de woekerpolissen. Hij helpt u kiezen voor de constructie die het beste bij u past. Niet de verzekeraar betaalt voor diens diensten, maar uzelf. Als het aan de AFM ligt, is dat de toekomst van de financiële markt voor particulieren: (provisie) onafhankelijk advies op uurtarief.

Laat u 'ontwoekeren', een werkwoord dat niet de schoonheidsprijs verdient, maar aan duidelijkheid niets te wensen overlaat. Adviseurs bieden zich aan, te kust en te keur, maar u moet zich wel goed realiseren dat naar aanleiding van de laatste schandalen (Legio Lease, Afab, DSB) een ware slachting heeft plaatsgevonden onder tussenpersonen, niet alleen ten koste van de slechte. Goede zaak: de 'postenverkopers' sneuvelen. Maar het zijn net wormen, een deel sterft (gaat failliet) en een ander deel begint vrolijk van voor af aan. Goed oppassen dus (zie de internetadressen achter in dit boek voor informatie) dat niet gebeurt wat Arnoud Nieuwenhuizen meemaakte van Vitréus Financiële Diensten, vrij nieuw op de markt waar de ene na de andere tent omverwaait: 'Ik sprak met een klant die een polis had waarvoor hij honderd euro per maand betaalde, waarvan veel te veel kosten. We zouden elkaar een paar weken later weer treffen. Is er inmiddels een andere tussenpersoon bij hem thuis geweest. Die zei: "Je hebt een waardeloze polis. Ik zou 'm omzetten als ik jou was." Zo gezegd zo gedaan. Wat blijkt: hij beschikt inderdaad over een beter alternatief, een garantieproduct, wel met een lange looptijd. Hij is gewoon van de ene dochtermaatschappij naar de andere geswitcht binnen hetzelfde concern. Die aardige tussenpersoon verdiende er 3000 euro mee, die de klant dus weer moet terugbetalen gedurende de eerste vijf jaar van de looptijd. Heb je dan wel iets geleerd als tussenpersoon, vraag ik me af.'

Nieuwenhuizen, die kantoor houdt in het Friese Sexbierum, is een kind van Dirk Scheringa, uiteraard slechts in symbolische betekenis. Hij heeft de allerbeste leerschool gehad van hoe het niet moet. Met de ABN Amro als springplank, waar hij mocht vertrekken bij de grote reorganisatie in 1996, belandde hij als hypotheekspecialist in Wognum. DSB wilde zich na de persoonlijke kredieten gaan storten op de huizenmarkt. Nieuwenhuizens mooie blauwe ogen bleken het beste handelsmerk. 'Ik schijn een betrouwbaar uiterlijk te hebben. Mensen tekenden blind voor wat ik ze voorstelde.' Hij was een modelverkoper. 'Het had helemaal niets met goede adviezen te maken. DSB was een verkooporganisatie. Je kreeg er een eigen opleiding. Als verkoper, niet als adviseur. De eerste maand heb ik nog geroepen: wat jullie doen, kan helemaal niet!'

Arnoud Nieuwenhuizen was 24 jaar en verdiende 150.000 gulden per jaar. 'Ik heb er een maand weerzin tegen gehad. Maar dan wordt je eerste salaris gestort, ruim tien mille, ja en dan gaan vanzelf de luiken dicht. Als je maar omzet draaide en verder je mond hield. Ik heb achteraf gehoord dat ze me van de opleiding wilden schoppen. Contact met Scheringa? Ik heb één keer per ongeluk de deur voor hem dichtgegooid. Ik wist helemaal niet dat hij het was, een man met geitenwollen sokken. De volgende dag werd ik wel op het matje geroepen bij personeelszaken.' Na een kleine twee jaar won het schuldgevoel het van de plezierige wetenschap iedere maand tien mille te krijgen bijgeschreven, exclusief bonussen.

'Ik kwam voor de tweede keer bij een klant wiens hypotheekrente was verhoogd tot 7,9 procent. Hij was begonnen met 2,9. Ik had hem een beter aanbod moeten doen, wel onder voorwaarde van nieuwe koopsompolissen [de bekende 'kerstbomen' van waardeloze maar peperdure dekkingen voor overlijden en arbeidsongeschiktheid – KK]. Ik had er een rotgevoel bij. Het was heel simpel bij DSB: als je het niet eens was met de verkoopmethode kon je gaan. Dat heb ik gedaan. Op een dag in 1999 ben ik naar personeelszaken gestapt en heb sleutels, mobiele telefoon en laptop ingeleverd.'

Het was niet de 'zwakke onderklasse' die in de val van DSB liep. 'Het waren piloten van de KLM, directeuren van grote bedrijven en accountants. We hadden een ijzersterk verkoopverhaal. De klanten kregen te horen dat ze het bedrag dat ze wilden hebben konden krijgen en wat ze ervoor gingen betalen, in het begin. De mensen zeiden: doe maar, ik wil die nieuwe serre of auto.' Nieuwenhuizen was de praktijken van de financiële wereld ('DSB is echt niet de enige rotte appel, denk aan Afab') zo zat dat hij zijn heil elders zocht, de bedrijfskleding eerst. Maar ja, toen kwam de kredietcrisis en mocht hij in het magazijn gaan werken. 'Mijn vrouw zei: waarom begin je niet voor jezelf?' Nieuwenhuizen wist precies hoe het niet moest als financieel adviseur. Met twee compagnons bedacht hij het idee van Vitréus, Latijn voor transparant. Ze werken met vaste bedragen. Heel duidelijk en heel transparant. Ze adverteren met 'ontwoekeren'. Het kan daarbij gaan om een spaarloonregeling van 45 euro per maand. 'We maken een individuele inventarisatie en bekijken waarvoor de polis bedoeld is. Neem nou die relatief dure spaarloonregeling, vaak ook een woekerpolis. We zetten die om in een bankspaarproduct met lijfrenteclausule. Het levert maximaal 3 procent rente per jaar op. Maar als je het vergelijkt met een beleggingspolis die 6 of 7 procent rendement belooft (bruto), kom je op de einddatum toch op hetzelfde uit. Nu dan wel gegarandeerd.'

Beleggingspolissen zijn er nog steeds, hij is er niet dol op. Daarbij is naar zijn mening de Wabekenorm eerder een sta-in-de-weg geworden om ze af te sluiten dan een aanmoediging. Want: dikke kans dat er in de laatste jaren meer uitgaat – aan gelegitimeerde kosten – dan erin komt aan premie. Wat dat betreft zouden de verzekeraars met hun zuinige compensaties weleens hun eigen graf hebben kunnen graven. Als de kritische klant tenminste wakker wordt. 'Het blijven ondoorzichtige alternatieven,' aldus Nieuwenhuizen, 'als een klant toch per se wil kiezen voor deze optie halen wij de provisie eruit (de premie van de tussenpersoon), waardoor je op een gemiddeld kostenpercentage uitkomt van 1,2 of 1,3 procent.' Met de hand op zijn hart kan hij het volgende beweren: woekerpolissen verkoopt hij niet.

Wie garandeert trouwens dat Vitréus niet van twee walletjes eet: uw geld incasseert voor onafhankelijk advies en inmiddels ook de provisie opstrijkt van de best biedende verzekeraar? Heel eenvoudig, zegt Nieuwenhuizen, daarvoor heb je de AFM. 'Ik merk dat heel veel tussenpersonen niet snappen wat er aan de hand is. Die beschouwen de financiële autoriteit als een boze wolf en henzelf als Roodkapje, het slachtoffer. En dan moeten ze nog hun eigen toezicht betalen ook! Ik erger me ontzettend aan deze mensen. In de financiële sector moet toezicht worden gehouden. Dat hebben we over onszelf afgeroepen.' En 'het onkruid' dat veel van de huidige ellende heeft veroorzaakt, moet vergaan. Geen vergunning meer geven. Simpel.

Sinds 1 januari 2010 zijn alle tussenpersonen verplicht om te laten zien wat zij verdienen aan een polis. Het geldt merkwaardigerwijs niet voor banken, die alleen hoeven te melden welke kosten ze hebben gemaakt. En u hebt in de vorige hoofdstukken kunnen lezen hoe creatief daarmee kan worden omgesprongen. Hij heeft geen idee waar dat vandaan komt, zegt deze adviseur, 'maar het moet iets te maken hebben met de bankenlobby. Die is enorm sterk.' Wees daarom ook een beetje voorzichtig met het zogeheten banksparen, fiscaal aangemoedigd en door de politiek gepresenteerd als het veilige antwoord op de beleggingsproducten van de verzekeraars. Het nieuwe wondermiddel, maar pas op voor de eventuele 'bijwerkingen'.

'De vraag is: wat gebeurt er over vijf jaar met banksparen? Stel dat de rente die nu wordt gegarandeerd, omlaag moet vanwege marktconforme omstandigheden. De winst moet toch ergens vandaan komen? Veel aftrekposten staan onder druk, dat geldt ook voor de hypotheekrente, waar de regels telkens worden aangescherpt. Ik ben twee jaar bezig met mijn nieuwe bedrijf en ik weet uit die ervaring dat veel adviezen de houdbaarheid hebben van een maand.' Hier treft de zwalkende overheid veel schuld. Wie kun je nog vertrouwen vandaag de dag?

'We leven in een turbulente tijd, maar voor ons is alle commotie goed. Ik blijf zeggen dat wij een geweldig vak hebben dat helaas door een aantal collega's is bezoedeld. Op feestjes draag ik graag een jacket met het logo van Vitréus. Ik heb geen behoefte aan uiterlijk vertoon of zes keer per jaar op vakantie gaan. Grote salarissen, gebruikelijk in de financiële wereld, vind ik nergens op slaan. Een klant moet bij zijn adviseur weten waaraan hij of zij toe is. Als ik een auto koop, hoef ik die toch ook niet eerst helemaal uit elkaar te slopen om te zien of alles wel werkt? Ik hoop dat veel mensen zo verstandig zijn om hun woekerpolissen over te sluiten. Wij zien geen heil in rechtszaken, want voordat er een oplossing is, ben je tien jaar verder. Maar soms denk ik weleens bij de vele bezitters van die dingen: het lijkt wel of jullie graag bedonderd willen worden!'

Een andere 'ontwoekeraar', Cliff Hoffman van *Jij & Wij* in Amsterdam, heeft dezelfde ervaringen als zijn collega in Sexbierum. Maar hij voegt daar wel graag klare taal aan toe: 'Als je geen poep op de markt brengt, kun je als tussenpersoon ook geen poep verkopen.' Duidelijk. Het gevaar van de grote schoonmaak die momenteel plaatsvindt in de wereld van het grote en wat kleinere geld brengt het risico mee van een tweedeling in de maatschappij. Nog meer dan voorheen zal de bovenklasse kunnen profiteren van goede adviezen op basis van uurtarief, 'maar je zult zien dat net als in de advocatuur de mensen die het kunnen betalen aan de haal gaan met de juiste adviezen en daarbij horende producten'. Het is echt waar: de kleine man is altijd het pispaaltje. 'Sommige mensen wíllen niet geholpen worden, en helaas kunnen we omgekeerd ook niet iedereen helpen die dat wél wil.'

Kijk, hier heeft hij een polis van Amev, met een kostenstructuur van minstens 10 procent per jaar. Het allerbeste zou zijn die met de snelheid van het licht om te zetten in een ander product, maar door de belegging in Fortis Obam (heet nu BNP Obam) is er in een jaar tijd ruim 50 procent van de opgebouwde waarde verdampt. Dat is de schuld van de beurs, kan niemand iets aan doen. Deze polis nu omzetten zou een enorm kapitaalverlies betekenen. Blijven zitten op de blaren, en bidden dat het weer goed komt met Obam in dit specifieke geval, is de enige remedie. 'Ik kan het niet mooier voor u maken.' Maar stel nu dat het brekebeentje over twee jaar weer aardig is gaan lopen, en de einddatum van de polis is bijvoorbeeld 2014, dan moet de eigenaar als de wiedeweerga switchen naar bijvoorbeeld een veilig rentefonds. Ja hoor eens, de klant moet natuurlijk ook zelf nadenken.

O God, wat hebben we hier: een polis Flexibel Belegd Verzekeren van Nationale-Nederlanden? 'Die zijn van het allerergste soort,' zegt Hoffman, die het weten kan. Geloof hem: de hoge kosten zitten echt niet alleen in de zogeheten 'eerste kosten' waarmee de provisie van de adviseur wordt terugbetaald. 'Toen veel van die beleggingsproducten op de markt kwamen, hadden we als tussenpersoon helemaal geen keuze. De offertes gingen allemaal uit van "historische" rendementen van 10 of zelfs 12 procent. Daar kon je niets aan veranderen. Bruto rendementen. De meeste adviseurs hadden geen idee hoeveel verborgen kosten werden berekend ten gunste van de verzekeraar. En dat geldt voor veruit de meeste beleggingspolissen. Ik heb ze als voormalig productadviseur allemaal voorbij zien komen, hoor.'

Poep dus, bah. Dat is de beste omschrijving. 'Een offerte maken met een veilig rendement van 4 of 6 procent was godsonmogelijk. Ik wil de praktijken van de slechteriken niet goedpraten, maar zo was de situatie.' Van drek kun je onmogelijk goud maken, dat kan iedereen zich wel voorstellen. En je kunt niet altijd ontwoekeren. 'Ik heb polissen gezien die waardeloos zijn geworden. Dan praat ik onder meer over premievrij gemaakte spaarloonregelingen. Voor die mensen kunnen wij echt niets meer betekenen.'

Maar, zo zegt deze redder in de nood, steeds meer 'rijke' bezitters van woekerpolissen wachten helemaal niet op een compensatie ('Van nul komma nul, dat weet je nu al zeker') en kiezen voor een ander alternatief, zoals de Onderlinge van 1895. Het is eenvoudig: je kunt bij *Jij & Wij* kiezen voor financieel advies in de vorm van een uurtarief, of je laat hem polissen oversluiten op provisiebasis. Hoffman garandeert daarbij een hoog rendement ('gemiddeld 7 procent'), uiteraard wel op langere basis gebaseerd. Het is ook hier weer erg eenvoudig: in de eerste jaren betaal je als consument ook zijn provisie 'want de verwarming in ons kantoor is niet gratis'. Maar je kunt bij hem ook een uurtarief afspreken, en dan blijven de eerste kosten uit.

Volgt het sprookjesachtige verhaal van bovenstaande 'Onderlinge', die dus al 115 jaar bestaat, opgezet door een groepje bemiddelde adellijke lieden, vooral beleggend in onroerend goed ('Half Den Haag is in hun bezit'). Volgens Cliff Hoffman belandt 95 procent van de jaarwinst in de premiepotten van de klanten. Wie wil dat niet? Andere adviseurs zijn iets minder enthousiast over deze maatschappij, vooral op gronden van de ondoorzichtige winstbepalingen. Je weet volgens deze criticasters nooit precies hoe realistisch de cijfers zijn en bovendien kan een 'onderlinge' ook de eventuele verliezen verrekenen over de klanten. Dat gebeurde één keer in de lange geschiedenis, vertelt de Amsterdamse fan, 'was het niet ergens aan het einde van de negentiende eeuw?', toen een paardentram in Den Haag ontspoorde 'waarbij drie of vier verzekerden' om het leven zouden zijn gekomen.

Het vreemde is dat een nadere kennismaking met deze wonderdoeners uit de residentie door de directie wordt afgewimpeld met als argument 'dat we ons niet willen afzetten tegen de andere verzekeraars'. Pardon? Je schreeuwt het als gezond bedrijf toch van de daken dat je goedkoper bent dan al die andere? Maar hoe sterk de argumenten ook zijn om deze luis in de pels van verzekerend Nederland aan het woord te krijgen, de Onderlinge van 1895 zwijgt in alle talen. Dan klinkt vanzelf de echo van de kritiek van Errol Keyner van de Vereniging van Effectenbezitters, die opmerkte dat in deze branche sprake is van een kartel waarbij de 'kleintjes' bijna als vanzelfsprekend de oren laten hangen naar de 'grote jongens'. Het is een raar verhaal.

De 'gratis woekerscan' (zie ook de informatie in hoofdstuk 21) van *Jij & Wij* moet uitkomst bieden voor alle bedrogen gedupeerden. De initiatiefnemers deinzen er in elk geval niet voor terug hun bedoelingen wereldkundig te maken. 'Wij hebben nooit meegedaan aan beleggingsverzekeringen, dichtverzekerde hypotheken en nutteloze indekking van risico's. Wij houden vast aan open en eerlijk advies. Daarom leveren wij moderne, conjunctuurongevoelige, transparante financiële producten waar u op kunt rekenen!' aldus de ronkende aanmoedigingen op de website. Hoffman wil daaraan toevoegen dat eerlijkheid toch weer het langst blijkt te duren. 'Ik ben blij met de tijd waarin we leven. De snelle jongens zijn ons lange tijd te slim afgeweest. Maar die tijd is voorbij.'

De schikkingen 'bereikt' door de claimstichtingen zijn volgens Hoffman een mooi voorbeeld van de succesvolle Haagse verzekeraarslobby. 'Waarom zijn politici zo gewild als commissarissen van banken en verzekeraars? Omdat het zo handig is zo iemand in huis te hebben. "Hé kerel, hoe gaat het met je, we hebben een probleem." Er is maar één telefoontje nodig om dingen voor elkaar te krijgen. De schikking is een voorbeeld van pappen en nathouden, en als de rust is weergekeerd lekker verdergaan met de oude praktijken.'

Nieuwe praktijken kunnen gemakkelijk stuklopen op de zo lang gekoesterde traditie van het provisiestelsel. Dat ondervindt vermogensbeheerder Egbert Berkhoff. Hij bedacht met zijn collega's van het Noord-Nederlands Effektenkantoor (NNEK) een op papier ideaal alternatief voor de woekerpolis. Toch beleggen, maar dan met deskundige expertise en de keuze uit alle fondsen van de hele wereld (op ieder gewenst moment inwisselbaar tegen betere aandelen), dus niet de beperking van alleen maar huisfondsen. Van iedere honderd euro wordt werkelijk 98 procent belegd, vanaf de eerste dag. Geen verborgen kosten om het intermediair te financieren, wel een vast tarief bij de eerste storting. Daarnaast een losse overlijdensrisicoverzekering bij de goedkoopste aanbieder. Kostenplaatje helder als glas, en een mooie naam voor het moderne product: Mozaïek Plus Plan dat samen met verzekeraar Cordares op de markt is gebracht. Prachtig, het beste antwoord op de door hem gehate woekerpolissen ('Ellende die nog steeds wordt verkocht'). Maar er is één probleem: dit mozaïek leidt een kwijnend bestaan.

'Bij de woekerpolissen,' legt Berkhoff geduldig uit, 'komen de premies van de klanten terecht op de balans van de verzekeraar. Wij stoppen de inleg in een stichting, waardoor de consument altijd eigenaar blijft van de gelden, ook bij een onverhoopt faillissement. Maar waarom loopt het dan niet? Dat heeft te maken met het gebrek aan animo bij adviseurs, immers afhankelijk van inkomsten en dus provisies. Met inderdaad die hoge eerste kosten voor de klant tot gevolg. We verkopen wel, maar alleen via de betere intermediair.' Ander probleem volgens deze expert is dat onder de huidige omstandigheden geen of weinig fiscale voordelen zijn verbonden aan zijn alternatief, dat mede gebaseerd is op het populaire banksparen. 'Het heeft te maken met een fout in de betreffende belastingwet. Verzekeraars, banken en pensioenfondsen kunnen ervan profiteren. De overheid heeft de vermogensbeheerders helaas vergeten.' Er wordt hard aan 'reparatie' gewerkt, maar voorlopig zonder succes.

De vermogensbeheerder vindt dat je bij beleggen eigenlijk helemaal niet moet gokken op fiscale voordelen, die immers ieder moment weer kunnen verdwijnen. Kijk nu naar de met grootscheepse advertentiecampagnes begeleide mogelijkheden om gebruik te maken van de belastingconstructies met een zogeheten Scheeps CV. Je wordt daarbij als consument verleid om geld te storten in nog te bouwen schepen met aanzienlijke fiscale voordelen. 'Zo wordt een sector in leven gehouden met belastinggeld. Ik vind het helemaal niks.'

Klokkenluider Ab Flipse (FPoint) gaat nog veel verder dan bovengenoemde collega's. Je moet niets meer te maken willen hebben met verzekeringsconstructies waarbij de overheid fiscale voordelen biedt. Om die reden wijst hij banksparen ook resoluut af. 'Dat is de volgende woekerpolisaffaire,' voorspelt hij. 'De werkelijke kosten zijn nog niet goed te overzien. Het ziet ernaar uit dat de administratie duurder is dan nu schijnt. Die kosten worden uiteraard op een dag verrekend met de consument. Ik zou van harte willen aanraden: stop met alle fiscaal gedreven producten, knip het lijntje met de overheid door, want volgend jaar verzint het ministerie van Financiën weer andere regels.'

Liever ziet hij ook de pensioenen (zie hoofdstuk 16) in particuliere handen belanden. 'Ik ben erg antioverheid geworden. De overheid heeft met alle fiscale regeltjes onze branche op zijn kop gezet, uitgeknepen en vermorzeld.' Stop in elk geval met hypotheken koppelen aan al die nutteloze kerstbomen van zogenaamde woningbeschermers. Simpel: annuïteit of lineair. Sluit zelf een losse polis af voor het overlijdensrisico waar de laatste jaren een spectaculaire prijzenslag heeft plaatsgevonden. Vergelijk de prijzen op de website van bijvoorbeeld Independer. Hetzelfde geldt voor schadeverzekeringen.

Terug naar de basis – dat is de belangrijkste boodschap van deze rebel. Goed financieel advies in een mensenleven past bij hem op een A4. 'Leer als consument beschikken over een helikopterview. Als je dan zo graag wilt beleggen, doe het zelf en laat het in ieder geval nooit over aan een verzekeringsmaatschappij. Volg een cursus bij vermogensbank Alex of een ander, zorg dat jij als consument vrij bent en de regisseur over je eigen leven. Je weet dat je bij zelf beleggen 1,2 procent belasting betaalt in box 3. Doe het zelf!'

Ga eens kijken in de winkel van de zogeheten *direct writers*, geen tussenpersoon te bekennen. De grote verzekeraars zijn er over het algemeen niet dol op. Want het spreekt voor zich dat het kostenbesparend is wanneer provisies omzeild kunnen worden. Je moet er als consument wel wat voor doen, bijvoorbeeld heel goed zoeken. Neem Loyalis, een 'volle dochter' van APG, het voormalige ABP, Algemeen Burgerlijk Pensioenfonds. Zonder enige twijfel 'het beste jongetje van de klas' waar het gaat om de schikkingen tot dusver bedongen door de claimstichtingen. Voor 803 polissen moest zestig mille worden uitgetrokken. Een hebbeding op een totaal van 75.000 beleggingsverzekeringen.

Je zou denken: plaats jezelf in de etalage, Loyalis, koop zendtijd voor tv-reclames, trek de klanten weg bij al die veel te dure concurrenten. Maar nee, het kost zelfs veel moeite om twee woordvoerders hun relatief goedkope boodschap te laten brengen. Heeft hun voorzichtige opstelling misschien te maken met strikte orders van de Haagse Bordewijklaan? Ze kijken me in Heerlen enigszins glazig aan als ik ernaar vraag, schuiven wat ongemakkelijk op hun stoel en zeggen na langdurig, veelzeggend stilzwijgen: 'We hebben maar weinig producten in de aanbieding, maar we begrijpen ze wel allemaal.'

Aandeelhouders zijn in geen velden of wegen te bekennen in het Limburgse land. Loyalis is een relatief jonge speler op de markt waar uw gulden meestal een kwartje waard is. Het bedrijf maakte zich vooral sterk in de pensioenaanvullende producten zoals die van op het ouderdomspensioen, invaliditeit en prepensioen en de daarmee verband houdende levensloopregelingen. Natuurlijk richtten de grote verzekeraars zich ook op het laatste alternatief, toen dat in zwang begon te komen. 'Moeder' ABP van de Limburgse verzekeraar werd hardhandig door De Nederlandsche Bank op de vingers getikt bij een promotiecampagne voor wat in assurantiejargon 'de derde pijler' is gaan heten (onder meer levensloopregelingen) waarbij gebruik werd gemaakt van het adressenbestand van de 'moeder'.

Het lijkt wel een scène uit een boek van Kafka: twee heren die de kans van hun leven krijgen om hun winkel in de schijnwerpers te zetten, geheel gratis, en hen dan uiterst omzichtig woorden horen breien. Spreek op, woordvoerders van Loyalis: zijn jullie dan toch ook echte woekeraars? Mag ik eigenlijk wel klant worden bij jullie? 'Als u niet tot onze doelgroep hoort, zullen we u in ieder geval niet opzoeken,' is het antwoord op de laatste vraag. 'Als u óns daarentegen opzoekt, zullen wij daar niet moeilijk over doen.' Over de vermeende tentakels van de Haagse Bordewijklaan willen de Limburgers alleen maar zeggen dat ze het geen nadeel vinden dat Heerlen behoorlijk ver verwijderd is van Den Haag en de Randstad.

'Winst en omzet zijn niet onze primaire doelstelling.

Klanttevredenheid vinden wij veel belangrijker.' Conservatisme is dit bedrijf niet vreemd. 'U weet toch wel dat verzekeren van oorsprong een heel socialistische bezigheid is? Een systeem waarin je de ellende met elkaar deelt?' In elk geval geen systeem waarbij je de misère deponeert op het bordje van de consument. Hoe bedoelt u goochelen met sterftetafels? De woordvoerders reageren met de verbazing van een kind dat voor het eerst in een reuzenrad zit. 'U zult wel denken: die mensen spelen een spel, maar we zijn van veel van deze dingen niet op de hoogte. Wij durven niet te beweren dat we nooit fouten hebben gemaakt, maar als een klant ons daar met recht van spreken op attendeert, dan herstellen we ze. Daar hebben we *Tros Radar* niet voor nodig. Waar het om gaat, is de boodschap van transparante informatie. Ik zou niet durven beweren dat wij bij alles de goedkoopste producten in de aanbieding hebben. Maar we geven wel thuis, als er een prestatie moet worden geleverd.'

Wie geen enkele moeite heeft met reclame maken en van alle mogelijke daken roepen dat ze er zijn, is de prijsvechter Brand New Day, een 'kind' van BinckBank dat een decennium geleden met veel succes een bom plaatste onder de monopolistische markt van de particuliere beleggers. Waar de gevestigde bedrijven 1,5 procent in rekening brachten voor iedere effectenorder rekende de nieuwkomer een 'courtage' van 0,10 procent, een prijsverschil van liefst 95 procent. De 'concurrentie', die natuurlijk helemaal geen concurrentie meer was, schreeuwde moord en brand. Dat niet alleen. 'We werden aanvankelijk op alle mogelijke manieren tegengewerkt. Bijvoorbeeld door ons van ons werk te houden door juristen op ons af te sturen. En later met waarschuwingen van mensen net onder de Raad van Bestuur dat ze ons kapot zouden maken door hun prijzen te verlagen naar nul als we niet onmiddellijk stopten met onze campagnes.'

Directeur Kalo Bagijn spreekt met de zelfverzekerdheid van een winnaar. Na de moeilijke start heeft BinckBank op dit moment een marktaandeel van 70 procent in Nederland. En de formule heeft een triomftocht achter de rug in België. Het beursgenoteerde bedrijf is anno 2010 ongeveer een miljard waard. De bedrijfsfilosofie? 'Het klinkt in eerste instantie misschien commercieel, maar je moet heel consequent het belang van de consument vooropstellen. Altijd voorrang verlenen aan de lange termijn. Wanneer je dat heel consequent doet, schep je vanzelf ambassadeurs die door mond-tot-mondreclame weer nieuwe klanten aanbrengen. Gratis. Alle andere financiële instellingen denken op korte termijn, mede in belang van de aandeelhouders. Dat kan heel lang goed gaan, maar in onze filosofie gaat het een keer mis. Dan gebeurt wat er met de DSB van Dirk Scheringa is gebeurd en valt een bank om. Pieter Lakeman heeft daarbij alleen maar de trigger overgehaald. Fortis was ook gesneuveld, wanneer de overheid niet had ingegrepen.'

Nadat het vorige avontuur tot fantastische resultaten had geleid, was het niet zo moeilijk om een nieuw doelwit te bepalen voor de aanval op een monopolistische markt. Brand New Day pretendeert ver onder de Wabekenorm alternatieve producten te kunnen aanbieden, in de meeste gevallen tot 2 procent goedkoper. Het zal de consument op de einddatum heel snel ruim 30 procent meer opleveren dan bij de meeste woekerpolissen het geval is. Het scenario is bekend: 'Den Haag' zal er alles aan doen de nieuwkomer op de markt tegen te werken. Bagijn en zijn medewerkers zijn op alles voorbereid. 'Die markt is alleen maar gebaat bij de huidige status-quo. Zeven grote partijen die ieder tussen de 10 en 20 procent van het marktaandeel in bezit hebben, allemaal ongeveer even duur, zoals dat ook het geval was destijds bij de particuliere belegger.' Daar rekenen nu inmiddels alle aanbieders hetzelfde: 0,1 procent in plaats van de 1,5 procent van tien jaar geleden.

Alhoewel de eerste compensatiebrieven (gestuurd door Delta Lloyd) niet wijzen op massaal afkopen door de bedrogen consument, zeggen de prijsvechters van Brand New Day de toeloop van nieuwe klanten nauwelijks aan te kunnen. Je vraagt je af of de meeste consumenten eigenlijk wel begrijpen wat hun boven het hoofd hangt. 'De financiële instellingen zijn er erg bedreven in hun producten, en de daarbij horende correspondentie, zo ingewikkeld te maken dat er geen touw aan vast te knopen is. Je wordt bestookt met papieren. Ze hebben ons vijftien tot twintig jaar met grootscheepse campagnes doen geloven dat ze betrouwbaar zijn en dat je je geld met een gerust hart aan hen kunt toevertrouwen. Maar wij zien nu dat de helft van de mensen die klant worden bij ons het niet eens doen vanwege onze goedkope producten maar veel eerder uit woede. Ze pikken het niet meer dat ze zijn bestolen.'

De paniek is groot in Den Haag volgens Bagijn, en je ziet de weerstand groeien na bijvoorbeeld een positieve recensie van *NRC*-columniste Erica Verdegaal, die met veel verstand van zaken (en humor) schrijft over geldzaken. 'De verzekeraars doen alles wat in hun vermogen ligt om journalisten op andere, positieve, gedachten te brengen. En wij doen andersom alles wat in onze macht ligt de markt te veranderen.' Het kan niet anders, zo voorspellen deskundigen als Peter Post van MoneyView, dan dat de indringer uit Utrecht op termijn een aardverschuiving teweeg zal brengen in verzekeringsland, waar al zo lang woekerwinsten zijn behaald over de ruggen van de consument.

Digitaal gemak dient bij het goedkope alternatief de kritische klant. En geen mooie praatjes van adviseurs die iets beloven wat onmogelijk is. 'Hoger rendement met gelijkblijvend risico is onmogelijk,' zegt Bagijn, 'wie dat durft te beweren, liegt. De winstmarges voor mensen die 100 procent zekerheid willen, zullen heel erg tegenvallen. Dat is de slechte boodschap die we brengen. Maar we laten via grafieken duidelijk zien hoe je de risico's kunt spreiden, deels beleggen in aandelen, en het grootste deel in zogeheten *inflation linked* obligaties, staatsleningen waarbij rekening wordt gehouden met de inflatie.' De inleg van de klant wordt in een separaat 'bewaarbedrijf' veilig gestald, waardoor een onverhoopt faillissement geen gevolgen heeft voor de polishouders.

Geen gouden bergen beloven en eerlijkheid het langst laten duren, alhoewel de consument daar tegenwoordig nog nauwelijks in durft te geloven. Zo eenvoudig kan een boodschap zijn. Wie weet is de onvermijdelijke grote schoonmaak in de wereld van het Grote Geld wel de voorloper van wat er in een economie zonder kredietcrises zou moeten gebeuren. Minder winst, betere en in ieder geval eerlijkere producten en directeuren die iedere ochtend met een rein geweten in de spiegel kunnen kijken.

15 Brand

Het is 1989, de beurzen stuiteren van optimisme, je laat je verleiden het rendement van je huisbankier (8,5 procent) in te ruilen voor 'veel betere alternatieven' bij een concurrent en komt er na drie jaar achter dat 700.000 gulden is verdampt. Je gaat procederen, verliest iedere keer opnieuw, en weet in 2009 nog steeds niet precies waar je aan toe bent. Ja, dan ben je in staat tot een wanhoopsdaad. Twee hoogleraren en wijlen Theo van Gogh op de bres voor Paul Quekel, aartsintrigant, gedupeerde en gedetineerde.

Half Nederland heeft Paul Quekel het afgelopen decennium bestookt met waarschuwingen, inclusief minister-president Balkenende, die hem in een brief op 5 september 2002 vriendelijk doch dringend verzocht zijn 'zeer frequente faxberichten niet langer te zenden'. Ook journalisten en andere politici bracht hij tot wanhoop met een niet-aflatende stroom berichten, geschreven in de allerhoogste staat van opwinding. 'De heer J.P. Balkenende c.s., bekend van krachtdadig optreden, waken over jullie: huis-, tuin- en keukenburgers, stemvee dat eens in de vier jaar mag blaten en straks tot de ontdekking komt dat Nederland failliet is. Ik ageerde al vanaf 1995 tegen woekerpolissen.

Ja, meneer Balkenende, ik heb u hierover regelmatig op de hoogte gesteld, dus u kunt nooit zeggen: dat heb ik niet geweten. Durft u al de gezinnen die op de einddatum van hun hypotheek in enorme financiële problemen zullen komen, nog ooit recht in de ogen te kijken? En zult u zich samen met Wim Kok en Gerrit Zalm niet nu al erg schuldig voelen?'

De automatiseringsdeskundige, zoon van een treinmachinist en schatrijk geworden met zijn briljante wiskundige inzichten, is lang beschouwd als een dorpsgek die niets anders te doen had dan het omroepen van de zwartste doemscenario's. Hij voorzag de kredietcrisis, zoals door vrienden wordt bevestigd. En nu langzamerhand de grootte van het polisprobleem begint door te dringen, kun je de man uit Waalwijk toch moeilijk visionaire kwaliteiten ontzeggen. Hij had vijftien jaar geleden al door welke financiële lawine in aantocht was. Enig opportunisme was hem niet vreemd bij het turen in zijn glazen bol, zoals uit dit verhaal met afschuwelijke afloop zal blijken. Maar Paul Quekel zag geen spoken. Die rehabilitatie verdient hij in elk geval, met terugwerkende kracht en zo veel jaren later, nu hij in 2010 is beland in de gevangenis van Vught.

Het bizarre verhaal van Paul Quekel senior doet denken aan wijlen Willem Oltmans, de journalist die na eindeloos juridisch getouwtrek op zijn oude dag door de overheid in het gelijk werd gesteld. De vergelijking kwam van wijlen Theo van Gogh, een andere luis in de pels van het establishment. Toen deze zijn openbare aanklacht publiceerde op zijn website *De Gezonde Roker* leefden hij en Oltmans nog. 'Net als Willem lepelt Quekel met een fotografische nauwkeurigheid procesdata en ontmoetingen op. Het onrecht dat hem is aangedaan, is minstens zo flagrant als dat wat Oltmans overkwam, die dertig jaar nodig had om aan te tonen dat Luns hem het beroepsleven onmogelijk had gemaakt. Maar het verschil blijft natuurlijk dat Oltmans, zittend in de Bijstand en woonachtig op een krot, de allure van een aristocraat uitstraalde.'

Maar Quekel, tot voor kort eigenaar van een kapitale villa,

aldus stelde Van Gogh fijntjes vast, is net zo goed 'het vleesgeworden voorbeeld van de zegeningen waartoe het kapitalisme leidt'. Letterlijk kapot geprocedeerd door de verzekeringsmaatschappij annex bank waaraan hij zijn pensioengeld had toevertrouwd en andere investeringen in de toekomst. 'Hij wordt beschouwd als een ongeleid projectiel, zo'n halvegare waarover de jongens en meisjes van de Nederlandse pers liever cynisch hun schouders ophalen. Quekel is een gebroken man die leeft op kosten van zijn zoon en die wanhopig emailt met Kamerleden en vertegenwoordigers van de pers. En waarom zou hij, na alle manieren waarop Delta Lloyd hem juridisch en financieel beentje heeft gelicht, dat bedrijf niet "een criminele organisatie" mogen noemen?'

Paul Quekel, niet erg bang aangelegd, was verhaal gaan halen bij bestuurders in Wassenaar. Eerst telefonisch ('U bent een crimineel en we zullen u behandelen als een crimineel,' hoorde hij nog voordat de hoorn werd neergesmeten) en daarna ook bij de hoogste baas Niek Hoek thuis. 'Die ontving mij alleraardigst. Hij heeft me aangehoord en beloofde plechtig op mijn zaak terug te komen. Weet je waar dat laatste gebeurde? Op de rechtbank van Den Bosch, waar ik werd aangeklaagd wegens smaad!'

Het zwarte schaap uit Brabant werd door een rechter veroordeeld tot een boete van 5000 gulden voor iedere keer dat hij de zojuist gebezigde kwalificatie uitte. Voor Theo van Gogh een goede reden zijn lezers en lezeressen uit te nodigen een drol te deponeren in de tuin van de familie Hoek, D-weg 14 te Wassenaar. De gezonde roker stelde zijn publiek ook voor telefoongesprekken te voeren met de familie Hoek en publiceerde daartoe 'geheel gratis' het privénummer in zijn column.

Het dossier Quekel/Delta Lloyd, beheerd door strafpleiter professor Geert-Jan Knoops, is inmiddels een halve meter dik. Het gaat hierbij vooral om verkeerde beleggingen met duizelingwekkende bedragen, niet alleen voor honoraria om al even duizelingwekkend hoge belastingaanslagen juridisch te bestrijden. De aanklacht komt (aldus bewindvoerder Dorrestijn) in een notedop neer op: onzorgvuldig beheer, het niet-nakomen van contractueel overeengekomen rendementsprognoses, verwaarlozing van de zorgplicht, machtsmisbruik en het zich verschuilen achter een van de vele bedrijfsdivisies.

In 1990 had de multimiljonair uit Waalwijk naar eigen zeggen 1.600.000 gulden voor polissen in een depot gestort, waar vier jaar later nog 900.000 gulden van over was. Verlies: 700.000 gulden. 'Terwijl Delta Lloyd in de periode van 1989 tot 1995 een bedrijfsrendement publiceerde van gemiddeld 16,9 procent.' De investering betrof een supermoderne variant van de traditionele levensverzekeringen. Delta Lloyd was een van de pioniers op het gebied van verzekeren en beleggen ineen.

Bovenstaand citaat over de florerende marges van de verzekeraar zelf is afkomstig uit een brief aan mij, schrijver van dit boek, geschreven op 5 december 2009 in de gevangenis van Vught. Paul Quekel verblijft er in voorarrest naar aanleiding van een gebeurtenis op 26 mei 2009. Hij wordt ervan verdacht zijn eigen kapitale villa in brand te hebben gestoken, bij welke wanhoopsdaad hijzelf en zijn vrouw (die eerder had laten weten te willen scheiden) ernstige brandwonden opliepen. Het lichaam van de verdachte is voor 60 procent verbrand, vooral de onderkant. Zijn vrouw, wier gezicht met brandwonden is overdekt, heeft al een aantal transplantaties ondergaan. Hij schrijft in genoemde brief: 'Door een moment van gekte is het leven van mijn gezin, mijn vrouw en mijzelf volledig verwoest. Met grote dank (?) aan Dl. Zeker Delta Lloyd.' Volgen drie uitroeptekens.

Vrienden en familie waren bang geweest dat hij zichzelf 'iets zou aandoen', maar alles behalve dit. Een vriend, Leo Dorrestijn, had hij 'met de hand op zijn hart' moeten beloven dat hij geen gekke dingen zou doen. 'We waren bang voor zelfmoord,' zegt zijn zuster Marie-Louise in het Brabantse Rosmalen. Maar hij had, nadat zijn vrouw Coby had aangekondigd het huwelijk na 27 jaar te willen ontbinden, inderdaad plechtig beloofd dat er geen reden was voor zorgen. Op die fatale 26ste mei had Quekel nog een bezoek gebracht aan Dorrestijn, een gepensioneerde beroepsmilitair. Nog geen uur later zag die de brandweer met groot materieel voorbijrijden. Hij vermoedde geen moment dat de villa van de familie Quekel de bestemming was.

Met de smoes dat hij nog wat financiële zaken wilde bespreken over de aanstaande scheiding had hij zijn echtgenote, die inmiddels elders een woning had betrokken, naar de villa in Waalwijk gelokt. Zij had hem eerder dat jaar voor de keuze gesteld: stoppen met procederen tegen Delta Lloyd, en wel onmiddellijk, of anders zo snel mogelijk de papieren in orde maken voor de scheiding.

'Het was toch een verkapte poging tot zelfmoord,' zegt vriend Dorrestijn, sinds de fatale meidag bewindvoerder. 'Het had te maken met verlatingsangst. Zijn imago had een enorme deuk opgelopen, hij en zijn vrouw hielden erg van luxe, en nu dreigde hij ook Coby kwijt te raken. Het was een combinatie van gebeurtenissen. Hij was zijn status kwijt. Hij was een rijk man die er ook naar leefde. De laatste zes jaar had hij enorm ingeteerd op zijn vermogen. Door een toevallige samenloop van omstandigheden was alles op toen hij 65 werd en moest zien rond te komen van alleen nog AOW.' Zijn zus Marie-Louise: 'Ik heb me er nooit erg in verdiept, maar durf nu wel te beweren dat die zaak met de verzekeraar hem uiteindelijk kapot heeft gemaakt. Ik was bang dat hij zichzelf iets zou aandoen, maar niet dit.' Haar man: 'Met een waas voor de ogen is hij tot deze wanhoopsdaad overgegaan. Zo moet het wel zijn gebeurd.'

In een tijdsbestek van nog geen drie jaar zag Quekel miljoenen, opgebouwd dankzij uitgekiend automatiseren, verdampen. Procederen tegen de staat wegens een onterechte belastingaanslag, gewonnen in 1995 maar naar eigen schatting 1,9 miljoen gulden verloren aan het inhuren van expertise en rente. Twee keer 700.000 gulden in rook opgegaan dankzij de mislukte investeringen bij zijn bank en als toetje de gedwongen verkoop van zijn onroerend goed, appeltje voor de dorst, met een verlies van 5 miljoen in 1993, nadat hij in liquiditeitsproblemen was geraakt. In juni 1995 stelde hij Delta Lloyd via een aangetekend schrijven aansprakelijk voor wat hij gegoochel noemde met zijn dure beleggingspolissen. Een schikking van 80.000 gulden, een schijntje vergeleken bij de verliezen, werd door hem in 1996 van de hand gewezen.

Sindsdien vecht hij wanhopig om juridisch eerherstel. Het gaat daarbij om vele miljoenen, maar Paul Quekel senior – inmiddels totaal verarmd – is daarbij afhankelijk van de diensten en goedertierenheid van prof. mr. Knoops, die zijn zaak pro deo behartigt. Volgens Quekel heeft de gepensioneerde hoogleraar Van de Poel (Risk Management) bij zijn bestudering van het dossier geconcludeerd dat de wederpartij de zorgplicht heeft verzaakt en alle risico's op het bord heeft gelegd van de klant. 'Mijn inleg had minimaal verdubbeld moeten zijn,' zegt de gevangene. Delta Lloyd had hem verleid om weg te gaan bij zijn huisbankier ABN Amro, waar hij zijn kapitaal tot dan toe had belegd op een depositorekening van 8,25 procent per jaar. Dat moest veel beter kunnen. Het bleken desastreuze adviezen.

Van de Poel en Knoops kunnen geen uitspraken doen zolang de cassatieprocedure bij de Hoge Raad niet is afgerond. Een uitspraak wordt op zijn vroegst einde 2010 verwacht. De gedaagde partij, Delta Lloyd, kan aanvoeren dat alle rechtszaken tot dusver door Paul Quekel zijn verloren.

Waar was de transparantie, vraagt Quekel zich af, en hoe is

het mogelijk dat bedrijven die moeten concurreren in vertrouwen hun klanten zo genadeloos in de val laten lopen, niet zonder zich eerst van winsten te verzekeren in de vorm van hoge kosten van onbegrijpelijk ingewikkelde producten? Met de formule van de beleggingsverzekeringen maakte het voor de producenten niet uit of de beurzen wel of niet goed draaien. De verliezen zijn sowieso voor de polishouder, terwijl de aanbieder altijd (door torenhoge kosten te berekenen) verzekerd is van inkomsten. Met andere woorden: zonder zelf enig risico te lopen, worden klanten verleid tot onverantwoordelijke risico's. En dat geheel met voorbedachten rade.

De woede over de vanzelfsprekendheid waarmee Delta Lloyd zijn gelijk claimde en tot dusver ook kreeg van de gerechtelijke instanties, was voor Quekel aanleiding om 'het blatende stemvee van Nederland' keer op keer te waarschuwen voor de woekerpraktijken. Deze werden in zijn ogen oogluikend toegestaan door rechters van wie hij meende te kunnen bewijzen dat ze niet onafhankelijk waren van grote banken en/of verzekeringsmaatschappijen vanwege commissariaten of andere vriendschappelijke contacten. 'Al vóór 2001 heb ik de politiek op de hoogte gesteld van het bestaan van woekerpolissen. Ik ben daarmee blijven doorgaan, ook ter attentie van Nout Wellink van De Nederlandsche Bank.'

'Ik heb vanaf 1995 veel verdriet en ongeloof meegemaakt,' zegt Paul Quekel senior bij onze ontmoeting, de armen tot aan de handen dik in het verband. Zijn lichaamstaal spreekt boekdelen. Hier staat een man die verloren heeft van het lot dat hem zo lang gunstig gezind is geweest.

Zijn vriend Leo Dorrestijn kan goed begrijpen waarom Quekel door de meeste politici en journalisten werd beschouwd als een querulant in het kwadraat, behalve dan door Theo van Gogh. 'Hij had geen drs. voor zijn naam staan. Mede door zijn expertise in de automatisering was hij heel goed in staat dwarsverbanden te zien en daardoor tegen de stroom in te roeien. Ik heb hem alleen steeds op het hart gedrukt de schandalige praktijken van banken en verzekeringsmaatschappijen in het algemeen aan de kaak te stellen en niet alleen vanuit de slachtofferrol. Hij beet zich vast in zijn onderwerp en zocht zo veel mogelijk medestanders. Hij zei: ik wil later kunnen bewijzen dat ik gelijk heb, want ik weet zeker dat het op een dag fout gaat met de woekerpolispraktijken.'

Quekel zag wat door de meeste anderen over het hoofd werd gezien, zegt Dorrestijn. Door vervolgens ook de gevolgen van het kwaad nog te voorspellen, heeft hij zich niet erg geliefd gemaakt. Neem de plannen van de verzekeraars om voor een bedrag tussen de 75 en 100 miljoen gulden uit te trekken voor de verwachte problemen bij het millennium. Het ging daarbij om de gevreesde computerstoringen, maar het extra geld zou worden verhaald op de klanten. De daartoe benodigde premieverhoging, zo voorspelde Quekel, zou stilzwijgend de nieuwe eeuw in worden getild. Hij mobiliseerde onder meer Gerd Leers, tot begin 2010 burgemeester van Maastricht (CDA) en toenmalig Kamerlid, om de plannen van de verzekeraars te torpederen. Na zijn vragen in de Tweede Kamer in het kader van de millenniumproblematiek, een debat dienaangaande met de minister, moesten de verzekeraars fatsoenshalve bakzeil halen. Maar vraag Quekel niet hoeveel 'schandalige en onfatsoenlijk enorme' druk er op Leers werd uitgeoefend door lobbyisten uit de sector om zijn kritiek te laten varen. 'Die druk was op het misdadige af.' Deze analyse wordt anno 2010 bevestigd door de politicus.

Theo van Gogh wist het wel: hier acteerde een klokkenluider van het zuiverste water. 'Man van het volk, geen deftige uitstraling en behept met een zachte g. De lul dus en vogelvrij voor naar corruptie riekende rechters.' Paul Quekel laat in Vught weten geen spijt te hebben van zijn strijd tegen de gevestigde orde. 'Ik kan niet tegen onrecht. Nu heeft Dirk Scheringa de zwartepiet toegespeeld gekregen, maar eigenlijk horen de meeste directeuren van verzekeringsbedrijven in de gevangenis te zitten.' Het is een troost dat hij gelijk heeft gekregen, in ieder geval wat betreft 'het kankergezwel' van de woekerpolissen. Hij heeft een goede raad voor alle miljoenen gedupeerden, van wie (zo voorspelt hij) de meesten pas op de einddatum van hun waardeloze polisje het bedrog zullen inzien. En dan is het te laat. 'Ga vandaag nog naar het plaatselijke politiebureau en doe aangifte wegens oplichting en beroep u daarbij op artikel 12 van het Wetboek van Strafvordering.'

Eens een rebel, altijd een rebel. Maar wat zou hij graag alle gelijk van de wereld willen ruilen voor de kans om die 26ste mei van het rampjaar 2009 uit te wissen.

16 Pensioenramp

Er is een volgende ramp in aantocht: de pensioenen. Het
gaat hierbij vooral om drie hoofdletters: BPR, *Beschikbare*
Premie Regeling. Behoorlijk gangbaar bij de kleinere be-
drijven, maar ook een mooi alternatief voor werkgevers
die willen bezuinigen op de 'onbetaalbare pensioenvoor-
zieningen'. Ze worden werknemers, aldus adviseur Ingrid
Leene, 'door de strot geduwd' zonder dat deze doorhebben
dat ze in het rijke bezit zijn gekomen van niets anders dan
een woekerpolis. 'De enigen die werkelijk de risico's van
hun product hadden moeten doorzien, waren de pensi-
oenverzekeraars.'

Een man in een bootje, de zee o zo blauw. We zien een palm-
boom, het strand oogverblindend wit en verder niets. De
man dobbert, hij heeft niet veel anders te doen. Dit is het gevoel dat hoort bij een onbezorgde oude dag. Zijn leven lang
gewerkt, een mooi pensioen, want daar moet hij het van
doen. De camera zwenkt naar links en daar wacht vrouwlief
in een hangmat op een volkomen verlaten strand en net als de
man in het dobberende bootje oogt ze nog verbazingwek-
kend jeugdig en gezond. Ach wat kan het leven toch mooi
zijn, en dat horen we de man ook zeggen met een stem die
veel vertrouwen wekt. Hoe lang nog moeten wij wachten op
dit gevoel, en misschien nog wel belangrijker: hoeveel kost
dat gevoel eigenlijk?

Er zijn financiële deskundigen die menen dat een pensi-
oencrisis, eveneens veroorzaakt door veel te rooskleurig

voorgespiegelde rendementen, de schade van de woekerpolisaffaire nog zal kunnen overtreffen. Het gaat in feite om dezelfde producten en dezelfde verzekeraars met dezelfde oogverblindende kosten en dezelfde goedgelovige consumenten die dromen van dobberen in een bootje op een o zo blauwe zee. De experts spreken daarbij van een woekerpolis in een pensioenjasje. Het betreft over het algemeen particuliere verzekeringen van zelfstandige ondernemers, hoewel ook bedrijven steeds meer neigen naar de betreffende regeling, te vangen onder drie hoofdletters: BPR. Beschikbare Premie Regeling. Geen gegarandeerd pensioen, maar een oudedagsvoorziening waarbij 'beschikbare premie' het uitgangspunt is, met alle onzekerheid vandien.

Bij veruit de meeste collectieve pensioenen is het maandelijks uit te keren bedrag vanaf je 65ste (straks waarschijnlijk 67ste) gegarandeerd, wel of niet in combinatie met een indexatie voor de geldontwaarding (inflatie). Bij de BPR-regeling wordt weliswaar een vast kapitaal beloofd op je oude dag, alleen weet je tot het allerlaatste moment niet hoeveel pensioen het zal opleveren. Niet alleen verdwijnen onderweg naar je oude dag relatief hoge provisies voor de tussenpersoon uit je potje, bovendien wordt de uitkering pas definitief berekend op de pensioendatum. Als de marktrente 1 procent in plaats van 3 bedraagt, wordt je maandelijkse uitkering zomaar veel lager. En dat voor de rest van je leven. De exacte 'devaluatie' wordt berekend op grond van actuariële tabellen.

Kalo Bagijn (directeur prijsvechter Brand New Day) zegt dat er alternatieven zijn om meer zekerheid te 'kopen'. 'Een verzekeraar zal zeggen dat er kapitaalsgarantie is. Veel belangrijker is het te weten hoeveel inkomen je kunt inkopen. En die hoogte is afhankelijk van de rentestand op de pensioendatum. Hoe lager de rente op die dag, hoe kleiner je pensioen.' De risico's kunnen worden gedekt door middel van obligaties, mits uiteraard vroegtijdig aangeschaft. Maar let hier vooral weer op de hoge kosten. Iedere procent meer scheelt net als bij de woekerpolissen al gauw 16 procent aan inkomen. Tot de dood erop volgt.

Het was actuaris Alfred Oosenbrug – daar is hij weer – die de problemen van de ogenschijnlijk blozende pensioenregeling aan de kaak stelde. 'Het gaat niet om mooie beloftes,' zo vertelde hij op een bijeenkomst van 130 adviseurs in Amsterdam in 2006, 'maar om zekerheid. Bij het pensioen staat de verzorging van de oude dag voorop, niet het speculeren.' Maar ja, hij kende zijn pappenheimers (lees: verzekeraars) als geen ander en zag alweer in een vroeg stadium dat de bootjes uit de eerste alinea zullen kapseizen en zinken wanneer de pappenheimers hun gang kunnen gaan zonder fatsoenlijk toezicht. 'Ik zou eerder willen spreken over een beschikbare problemen regeling in spe.' Hij hield de pensioendeskundigen in Amsterdam voor om vooral geen ingewikkelde constructies aan te smeren. '*Keep it simple and stupid*,' zei de toprebel aan het einde van zijn betoog. En iedereen begreep wat hij bedoelde.

Simpel en stom. Maar waar je in het bos van 1200 verschillende beleggingsverzekeringen al heel gemakkelijk verdwaalt in complexiteit, raak je nog eerder de weg kwijt in het oerwoud van de pensioenregels, opgesteld door de jongens en meisjes van de Belastingdienst die zo graag beweren dat ze het niet gemakkelijk genoeg voor u kunnen maken.

Een hartverscheurend voorbeeld komt van de Amsterdamse intermediair Cliff Hoffman. 'Er komt hier een mevrouw wier man zijn pensioen heeft afgekocht na de scheiding. Zij dacht recht te hebben op een partnerpensioen van 115 euro per maand, en laten we zeggen dat ze nog een jaar of twintig te leven had. Totaal dus ongeveer 27.000 euro. Maar van de wet moest zij, omdat haar ex-man het ook had gedaan, dit pensioen in één keer afkopen. Mag jij drie keer raden wat voor bedrag zij eenmalig in handen kreeg. 350 euro! Ik heb het hier zwart-op-wit staan.'

En wie gaat er met de 27 mille aan de haal, daarbij van harte toegejuicht door de wetgever? Hij verwijst naar pensioenen 'met een goed gevoel', vooral dankzij advertentiecampagnes, die in rendement nauwelijks de jaarlijkse inflatie kunnen bijhouden. En je hoeft niet over veel voorstellingsvermogen te beschikken om vast te stellen wie de vertrouwde, sprookjesachtige tv-reclames betaalt.

Probeer maar eens uit te leggen aan een werknemer die van baas verandert en een kleine 5000 euro had ingelegd bij zijn werkgever, waarom hij slechts 1800 euro meekrijgt voor zijn pensioen bij zijn nieuwe baas. Het is een praktijkvoorbeeld van Jan Wolter Wabeke, de veelgeplaagde ombudsman van het Kifid. 'Waar is de rest gebleven? En dan moet ik de betreffende klager gaan uitleggen dat het restant in de zakken is verdwenen van de intermediair. Echt dramatische dingen maak je hier mee.'

Eigenlijk heeft hij niets te vertellen over pensioenen, want 'door een of ander idioot gat in de wetgeving' vallen die particuliere (BKR-)constructies nergens onder. Het doet weer denken aan de verkooptactiek van de verzekeraars bij de beleggingsproducten, execution only. We gooien de producten over de schutting en jullie zoeken het maar uit, domme consumenten. Gelukkig valt het merendeel van de oudedagsvoorzieningen onder collectieve, goed dichtgetimmerde constructies waarbij ook bijna altijd sprake is van gegarandeerde kapitalen. Maar pas op: vanwege de enorme kosten stellen werkgevers in toenemende mate hun personeel voor ook te kiezen voor de 'beschikbare problemen regeling' met schijnbare voordelen op korte termijn (minder afdracht voor straks en dus meer geld in het digitale loonzakje nu) maar alle risico's voor later erbij. Jullie zoeken het maar uit!

In 2008 was de totale Nederlandse pensioenpot gevuld

met 900 miljard euro, ondanks de kredietcrisis nog steeds een luxe vergeleken met de meeste andere landen in de wereld. Van dat bedrag is tweederde ondergebracht bij pensioenfondsen. Veiliger kan haast niet. De overige 300 miljard is toevertrouwd aan de verzekeraars en daar moet de argeloze consument maar weer het beste van hopen. Sommige werkgevers, vooral de grotere, hebben de kosten goed 'omlaag gepraat'. Maar vooral de werknemers van kleinere bedrijven zijn eigenlijk weer aan de goden overgeleverd. Volgens Ab Flipse, de eigengereide adviseur uit Lelystad, praat je hier weer simpelweg over woekerpolissen met alle krankzinnige kosten van dien, goed verborgen in wollig taalgebruik.

Net als bij de 'gewone' polissen komt bij woekerpensioenen een rijstebrij van kosten langs zoals de vergoeding voor de tussenpersoon (kan in sommige gevallen oplopen tot 12 procent), beheer- en beleggingskosten, provisie voor de buitendienstmedewerker van de verzekeraar, polisadministratie enzovoort. Door de aanvankelijk torenhoge rendementen van bijbehorende beleggingsfondsen bleef er nog wat over om pensioen op te bouwen, niet zoveel maar wel wat. U kunt zich ongeveer voorstellen wat er gebeurt als de betreffende polis vrijkomt om het pensioen te bepalen een maand nadat de kredietcrisis vrijwel alle aandelenmandjes doorprikte. De trotse pensionado moest ervaren dat er van zijn plannen om in bootjes te gaan dobberen op een o zo blauwe zee niets meer terecht kon komen. Het werd een roeiboot op de Loosdrechtse Plassen, een gehuurd exemplaar welteverstaan.

Van de circa 750.000 individuele pensioenverzekeringen, aldus stelde de AFM in de zomer van 2009 vast, ligt het beleggingsrisico in ongeveer 330.000 gevallen bij de klant. Verzekeraars lappen hier hun zorgplicht weer aan hun laars. Hier lopen consumenten het gevaar te beschikken over een onvervalste woekerpolis. Van de voornemens van het Verbond van

Verzekeraars om (op aandringen van Wabeke) in overleg met de Stichting van de Arbeid vaste kostenmaxima voor individuele pensioencontracten te bepalen moet niet veel worden verwacht, gezien de jongste ervaringen met de woekerpolissen en de enorme bedragen waarover het gaat bij deze pensioenen (meestal tonnen op individuele basis). Dat geldt ook voor de bereidwilligheid van verzekeraars tot compensaties (uit een fooienpot) over te gaan.

Ingrid Leene-Hoedemaeker, directeur van Get Smart Consultancy (onafhankelijk financieel adviseur, gespecialiseerd in pensioenen), weet 'heel zeker' dat de meeste consumenten geen idee hebben wat hun boven het hoofd hangt. Ze spreekt daarmee dezelfde taal als haar plaatsgenoot, de Tilburgse hoogleraar Fred van Raaij, die eerder zijn ongeloof uitsprak over de desinteresse van de 'gemiddelde Nederlander', ook waar het pensioenen betreft. 'Vraag aan een werknemer te kiezen tussen 100 euro loonsverhoging per maand of een betere pensioenregeling en bijna iedereen kiest blind voor het eerste.' De kosten van voorzieningen voor de oude dag rijzen de pan uit, zo hoog dat veel bazen steeds meer kiezen voor de regeling BPR. 'Al dan niet met een basisgarantie.'

De problemen worden bepaald niet kleiner door, wat heden ten dage eerder regel is dan uitzondering, om de paar jaar van baas te wisselen. Het geldt ook voor collectieve arbeidsovereenkomsten. Maar ja, je bent jong, je wilt wat, en dat is in ieder geval niet bezig zijn met de verre toekomst. Wie denkt er nu op zijn 25ste aan een verjaardag van ruim veertig jaar later? Vanavond weer fijn uit eten, over twee weken op vakantie, de vierde keer dit jaar, en is het trouwens geen schande dat wij moeten opdraaien voor de kosten van de vergrijzing? De jongelui leven bij de dag, want morgen kun je wel dood zijn en zo is het maar net. BPR, is dat soms een nieuwe drug?

'Die houding heeft alles te maken met de tijd,' vertelt Leene, 'niet alleen hollen we in alles achter de Verenigde Staten aan. Waar het in een niet al te ver verleden normaal was om voor een vakantie te gaan sparen, wordt nu geredeneerd dat alles moet kunnen wanneer je dat wilt. Vandaag. Snelheid is geboden. Mijn kinderen vinden het raar als ik zeg dat je voor morgen moet sparen. Het is heel simpel: 100 euro kun je maar één keer uitgeven, vandaag of morgen. De meeste mensen vinden het naar te moeten horen dat je niet het dubbele kunt spenderen.' Wie denkt er nu in godsnaam aan pensioen, en dan nog wel aan nabestaandenpensioen?

Het nabestaandenpensioen kun je bij de Beschikbare Premie Regeling vaak uitruilen; dat geldt trouwens ook bij veel collectieve overeenkomsten. Alleen is de keuzevrijheid om te beleggen en te opteren voor meer rendement (en dus meer risico) veel groter. Hier zie je ook weer een overeenkomst met de verzekeringen, waar de beleggingspolissen van oorsprong bedoeld waren om de klant meer keuzes te bieden. Het kan bij pensioenen leiden tot grote drama's, als de avontuurlijk ingestelde pensionado zijn potje voor de oude dag in één klap ziet leeglopen tot bijna nul. 'Ik heb meegemaakt,' vertelt Leene, 'dat mensen hun gegarandeerde uitkering gingen omzetten in een premieregeling op beleggingsbasis. Die gooiden "hard geld" (gegarandeerde bedragen) als het ware op de roulettetafel. En niemand die ze na een paar jaar van geweldige rendementen adviseerde om op een goed moment te switchen naar een veiliger fonds.' En dan natuurlijk precies met pensioen gaan op de dag dat de beurzen wereldwijd instorten. Dag onbezorgde oude dag!

Ze heeft geen zin om een verhaal te vertellen waarvan je maar één kant van de medaille ziet. Maar woekerpensioenen zijn er inderdaad, meer dan haar lief is, net als de miljoenen woekerpolissen. 'Je moet niet alleen maar wijzen naar de grote schurken en de zielige consument in de slachtofferrol duwen. Voor een grote meerderheid zijn langjarige contracten zoals een hypotheekovereenkomst of een pensioenregeling de ver-van-mijn-bedshow. Maar er zitten zo veel adders onder het gras.' Een slangenkuil vol. En o wee als die tevoorschijn kruipen bij scheidingen of nog erger: overlijden.

Volgt het intrieste relaas van een meneer, van oorsprong Zwitser, getrouwd en woonachtig in Nederland. Zijn verzekeraar biedt hem 'een keurige keuze' uit drie mogelijkheden op zijn pensioendatum. Optie A levert het hoogste maandbedrag op, variant B iets minder maar wel daarnaast een nabestaandenuitkering voor zijn partner bij onverhoopt overlijden, en keuze C biedt nog meer geld voor zijn vrouw bij eventueel overlijden maar dan wel weer minder ouderdomspensioen voor hemzelf. 'Het was een deal tussen werkgever, verzekeraar en betreffende werknemer. De laatste kiest voor mogelijkheid A, logisch want dat levert het meeste op. Maar je voelt 'm al aankomen: meneer komt te overlijden, en de echtgenote staat hier jammerend aan de poort. Ik kan echt niets voor haar betekenen. En de verzekeraar kan niet worden verweten dat meneer niet heel goed Nederlands sprak en misschien niet goed heeft geweten waarvoor hij koos. Hier ligt natuurlijk ook een verantwoordelijkheid voor de werkgever.'

De Telegraaf meldde in 2008 dat er liefst 700.000 'woekerpensioenen' in omloop zijn, maar hier worden alle BPR-regelingen over één kam geschoren. De eerder in dit boek genoemde actuaris Erwin Bosman gelooft dat de problemen minder groot zijn dan verondersteld en 'in geen enkel opzicht' te vergelijken met de gevolgen van de woekerpolissen, vooral die verbonden aan hypotheken. Volgens het artikel in de ochtendkrant kunnen de kosten bij deze oudedagsvoorziening oplopen tot wel 40 of 50 procent, waarvan een kwart rechtstreeks in de portemonnee belandt van 'Rupsje Nooitgenoeg', de tussenpersoon. Werken voor je oude dag, dromen van dobberen op een o zo blauwe zee in de wetenschap dat de (natuurlijk schandalig jonge) vrouw van jouw adviseur nu al in de hangmat ligt, gespannen tussen twee palmbomen.

Ingrid Leene zegt, opeens een stuk strenger dan even daarvoor, dat je niet bij alle kosten die in een polis worden opgevoerd, automatisch kunt gaan roepen: schande! Voor overlijdensrisico en de verzekering die eventuele arbeidsongeschiktheid afschermt, moet natuurlijk wel betaald worden. En het is ook logisch dat advies niet gratis is. Dat geldt alleen bij Jehova's Getuigen, die graag adviseren over de lange periode na de oude dag.

Het is ook logisch, legt de pensioendeskundige in Tilburg geduldig uit, dat particuliere voorzieningen duurder zijn dan collectieve. Een product op individuele basis betekent ook individuele kosten, die jij alleen betaalt. Begrijp je wel? 'De betreffende consumenten beginnen een beetje wakker te worden. Ik krijg steeds vaker telefoontjes die over woekerpensioenen gaan. Wat kun je doen? Als er sprake is van een door je baas afgesloten collectieve regeling (op basis van BPR) kun je niet zoveel. In dat geval heeft de werkgever afspraken gemaakt met de verzekeraar, wel of niet via een tussenpersoon. Je kunt hoogstens je werkgever op bepaalde nadelen wijzen. En je mag op dat gebied ook wel een zekere verantwoordelijkheid van hem en/of Personeelszaken verwachten.' Kijk goed naar de voorwaarden. Het kan best zijn dat een polis, op dit moment aangetast en afgebladderd door de gevolgen van de kredietcrisis, een garantiekapitaal biedt op einddatum. Blijf in dat geval zitten waar je zit. 'Dat noem ik dan natuurlijk geen woekerpolis.'

Net als bij beleggingsverzekeringen zal nergens bij pensioenovereenkomsten worden gewaarschuwd dat u de trotse eigenaar bent geworden van een woekercontract. De meeste bedrijven zijn al het afgelopen decennium overgegaan op een zogeheten middelloonregeling. De tot eind vorige eeuw gebruikelijke 'eindloonregelingen' waren voor werkgevers veel te duur geworden en onbetaalbaar, omdat salarisstijgingen ook met terugwerkende kracht verrekend moesten worden.

Bij zowel eindloon- als middelloonregeling kan geen sprake zijn van een woekerpensioen. Maar dat geldt wel voor de kapitaalovereenkomsten.

Leene doopte haar pen in het zwaarste vergif voor een verhelderend artikel in *FiscAlert*. 'Aangezien in de regel noch de werknemers, noch hun vertegenwoordigers bij de vakbonden, noch hun werkgevers precies begrepen (of wilden begrijpen) hoe de vork werkelijk in de steel zat – hetgeen bonden en werkgevers beslist is aan te rekenen –, kregen veel werknemers een pensioenregeling op basis van beschikbare premie door de strot geduwd. De enigen die werkelijk de risico's van hun product hadden moeten doorzien, waren de pensioenverzekeraars. Maar die waren druk met het opkrikken van de shareholdervalue.' Ja hoor, de aandeelhouder weer belangrijker dan de consument.

De oplettende werknemer zal er goed aan doen, hoe vervelend hij of zij het ook vindt, te controleren of bij de op papier blozende offertes van pensioenvoorzieningen misschien toch ook niet dat reuze giftige addertje van de Beschikbare Premie Regeling onder het gras zit met alle ellende (later) van dien. Het geldt zeker voor personeel in midden- en kleinbedrijf (MKB) waarvan de bazen zich niet kunnen aansluiten bij een pensioenfonds. Behoorlijk grote kans op een woekerpensioen. Ingrid Leene: 'Indien dan ook nog een partnerpensioen, vrijstelling van premiebetaling bij arbeidsongeschiktheid en overige kosten uit de premie moeten worden bekostigd, blijft er vrijwel niets over voor de opbouw van het pensioen zelf. Al helemaal niet als de beleggingsrendementen tegenvallen.'

Zoals het moeilijk is om woekerpolissen te herkennen, geldt hetzelfde voor het naamgenootje bij de pensioenen. U betrapt de 'boef' aan de hand van begrippen als 'voorbeeldkapitaal' en 'indicatief'. Nog concreter wordt het signalement, als u de door u en uw werkgever ingelegde premies bij elkaar optelt over de jaren dat u betreffend pensioen spaarde en u dat getal vergelijkt met dat van de opgebouwde waarde, welke de verzekeraar sinds kort verplicht is om te vermelden in uw jaarlijkse overzicht. Als het verschil groter is dan 20 procent (in uw nadeel) beschikt u bijna zeker over een woekerpensioen.

Volgens de financieel deskundige uit Tilburg resteren vijf mogelijkheden om toch nog ooit in een bootje op een o zo blauwe zee te dobberen.

1 Vul uw woekerpensioen zelf aan door middel van bijvoorbeeld sparen en beleggen in belastingbox 3 (waarover u 1,2 procent belasting betaalt).

2 Blijf zitten waar u zit, zeker als betreffende beleggingsfondsen de afgelopen jaren sterk in waarde zijn gedaald, maar ruil het opgebouwde kapitaal wel uit in een veiliger garantiefonds, als voldoende herstel op de beurs is opgetreden.

3 Probeer pensioenvormen te mengen, bijvoorbeeld in de vorm van een middelloonregeling tot een bepaald salarisniveau. Doe dat zeker bij wisseling van werkgever.

4 Ga praten met uw werkgever. Misschien kan deze onder zijn afspraken met de pensioenuitvoerder uitkomen, wanneer die zijn verantwoordelijkheden ernstig heeft veronachtzaamd.

5 Saai maar waar: hoe langer werkzaam bij een en dezelfde werkgever, hoe groter de kans op een normaal pensioen, ook bij de Beschikbare Premie Regeling, zeker als de baas gebruikmaakt van de maximale fiscale mogelijkheden.

Een groot bezwaar, dat zowel voor de woekerpolissen als voor de woekerpensioenen geldt, is de slechte communicatie met de partijen die de producten 'over de schutting gooien'. Deze conclusie komt van Dick de Haas. Hij is er eindelijk achter gekomen dat zijn collega's en hij behoorlijk bij de neus zijn genomen bij wat op papier een mooie pensioenregeling leek. Toen de treurige balans kon worden opgemaakt, vroeg hij (een van de hoogst verantwoordelijken bij zijn bedrijf) belet bij de verzekeraar waarmee de afspraken voor de oude dag waren geregeld. 'Het duurt even voordat je tot de bazen bent doorgedrongen. Maar eindelijk stonden ze hier op de stoep. Een van de directieleden gaf het uiteindelijk toe: ja, we communiceren niet met de klant.'

De Haas is niet zijn echte naam. Ruiterlijk toegeven waar hij werkt zou weleens tot imagoschade kunnen leiden voor dit bedrijf, waar de vele klanten moeten blindvaren op juridische adviezen. Zo zie je maar weer dat iedereen er instinkt, en dat de aanschaf van deze woekerproducten helemaal niets te maken heeft met opleiding. 'We wisten wel dat onze tussenpersoon fors verdiende aan onze pensioenen. Op jaarbasis storten wij algauw vier ton aan premie. Op zeker moment merkten we dat een deel van de beleggingsopbrengsten vloeide naar de premies waarvan partnerpensioenen moesten worden betaald. Zolang de rendementen van de beurs fantastisch waren, had je niet door dat units uit je potje werden onttrokken om die kosten te dekken.'

Dat veranderde natuurlijk toen door de kredietcrisis allerlei verborgen kosten (ontdaan van de mantel der liefde die hoog rendement heet) bloot werden gelegd. 'Het ging dus ook hier om gebrek aan transparantie. En de verzekeraar begreep heel goed dat we, zachtjes uitgedrukt, niet meer happy waren met dit product. Gelukkig kregen wij gelegenheid om ons contract met ingang van 2010 open te breken.' Wie weet speelde in het voordeel van De Haas dat zijn bedrijf als het erop aankomt heel goed de weg weet in de doolhof van de juridische mogelijkheden. Hoe groter de bedrijven, hoe goedgezinder de verzekeraars ook zullen zijn 'hun goede wil te tonen', alhoewel ze er meestal aan zullen toevoegen dat het helemaal niet hoeft volgens de polisvoorwaarden en dat ze alleen maar willen laten zien 'hun verantwoordelijkheid te durven nemen'.

Ze begonnen ooit met een stuk of 25 personeelsleden. Inmiddels werken er vier keer zoveel, van wie de meesten te jong zijn om zich werkelijk te interesseren voor hun pensioen. Wie dan leeft, wie dan zorgt. De Haas: 'De aanvankelijke provisie van de tussenpersoon, ongeveer 10 procent, vonden we niet onredelijk bij het relatief kleine aantal af te sluiten polissen. Maar nu zou dat redelijkerwijs een ander, lager percentage moeten zijn. Uiteindelijk snijdt die adviseur alleen maar in zijn eigen vlees, want niet alleen is ons vertrouwen weg, hij is ons ook als klant kwijt.'

Bij nader inzien kwam De Haas er ook achter dat de nieuwe deelnemers aan het pensioenfonds een premie van 4 procent voor overlijdensrisico betalen, en de oudere 'populatie' 7 of 8 procent. 'Dat noem ik discriminatie.' Zo komen er bij goede bestudering steeds weer nieuwe lijken uit de kast. 'Ik hoorde laatst van een elders werkende collega, behoorlijk hoog in de boom, die meende recht te hebben op een goede nabestaandenregeling van ongeveer 80 procent van zijn laatste inkomen. Gealarmeerd door mijn berichten ging hij eens goed informeren. Blijkt er sprake te zijn van een percentage van 15 procent. Nou, die man is totaal door het lint gegaan.'

Je kunt vanaf de allerhoogste daken gaan staan roepen, stelt Jan Wolter Wabeke nog maar eens op verzoek vast: bijna iedereen die jonger dan veertig is, is simpelweg niet geïnteresseerd in pensioenen, wel of niet in het jasje van een woekerpolis. 'Ze vinden het een vervelend onderwerp. En als je probeert uit te leggen dat het tussen de 30 en 35 jaar kost om een redelijk pensioen betaalbaar te houden, kun je zelf uitrekenen wanneer je moet beginnen met opbouw. Je bent dus letterlijk een dief van je portemonnee als je dat niet doet. Nou ja, ze vinden het helemaal niet interessant. De werknemer let niet op, en is medeschuldig aan de woekerpensioenen; voor de werkgever geldt hetzelfde. Die gooit maar wat geld over de schutting.' Hij heeft de alarmklok geluid, meer kan de ombudsman niet doen. 'Ik zeg precies wat ik ervan vind en wat er volgens mij zou moeten gebeuren. Nu is het maar afwachten of het effect zal sorteren.'

Professor Arnoud Boot, de wijze visionair uit Baarn, vindt het probleem van de mislukte pensioenen en aanverwante verzekeringsvormen, afgesloten via de werkgever (zoals ook spaarloonregelingen), nog verbijsterender dan wat er is gebeurd met de andere woekerpolissen. Als je alle aanverwante beleggingsproducten van pensioenen en hypotheken op een hoop gooit, en je gaat proberen de schade uit te rekenen voor de consument, kom je volgens hem op een onvoorstelbaar totaal van 150 miljard euro. 'De afbakening van het probleem is nog onduidelijk. We hebben nooit gedacht dat de hoge verborgen kosten ook van toepassing waren op de afspraken tussen werkgevers en verzekeraars. Het lijkt er verdacht veel op dat de belangen van de eigen achterban ondergeschikt zijn gemaakt aan die van eigenbelang. Want hoe komen anders zo veel producten terecht bij de werkgevers die uiteindelijk ook 40 procent kosten met zich meebrengen? Je vraagt je af wat de belangen zijn geweest van de professionals die namens de werkgever deze polissen hebben gekocht.' Zullen het met veel wijn en dure spijzen opgeluisterde bijeenkomsten zijn geweest, de dagen of avonden waarop deze woekerpensioenen over de ruggen van de werknemers werden verkocht? De kritische professor: 'Wie is er eigenlijk nog wel te vertrouwen, vandaag?'

Naschrift: Op 23 maart j.l. zetten de verzekeraars hun handtekening onder de kostennormering van BPR-pensioenen. Voor de ergste woekerpolissen wordt 200 miljoen euro uitgetrokken, een 'extraatje' van gemiddeld 889 euro per gedupeerde gepensioneerde.

17 De politiek

*'De politiek' riep op tot een diepgaand onderzoek toen het
probleem van de woekerpolissen uit de doofpot was gekomen. Maar nu de kruitdampen van de kredietcrisis beginnen op te trekken, lijkt het erop dat de Tweede Kamer te
vroeg heeft gejuicht. Wordt de consument wel recht gedaan met de compensaties op grond van de Wabekenorm?
'Het mag niet zo zijn dat verzekeraars ermee wegkomen
omdat andere grote financiële problemen toevallig de
aandacht opeisten.'*

Zal de Tweede Kamer zich gezien de voorgaande onthullingen realiseren tot welke enorme proporties de schade kan oplopen? De meeste volksvertegenwoordigers reageerden nogal
volks en voorspelbaar op het vastlopen destijds van de IFO-
onderzoekers tegen een betonnen muur van onwil. 'Bescha-
mend', 'potsierlijk' (beide Frans Weekers, VVD) en 'ontluisterend' (Kees Vendrik, GroenLinks) waren de meest gehoorde
bijvoeglijke naamwoorden. Ewout Irrgang (SP) had het over
'geklungel en blamage', en Mei Li Vos (PvdA) liet zich inspire-
ren door Arnoud Boot bij haar commentaar. Zij kopieerde
bijna letterlijk de kop van diens beroemde onderzoek naar de
woekerpolissen in 1995 bij een van haar reacties. 'De lachende
derde zijn verzekeraars, en de huilende vierde de polishouders.'

Hoe kan het toch dat volksvertegenwoordigers die door
zouden moeten hebben welk enorm financieel schandaal
zich hier afspeelt, doen alsof hun neus bloedt? Die vraag stel-

len we aan Gerd Leers van het CDA, de voormalige burge-meester van Maastricht die in 1999 in botsing kwam met de verzekeraars (zie hoofdstuk 15). 'Ook voor Kamerleden geldt dat de onderwerpen publicitair aantrekkelijk moeten zijn, goed uit te leggen. Deze zaak rond de woekerpolissen is zo groot, technisch zo moeilijk te doorgronden en vooral heel ondoorzichtig. Dat maakt het minder aantrekkelijk. Laat ik het zo zeggen: het Binnenhof heeft zo zijn eigen tempeltjes die goed worden bewaakt. Aan de andere kant kan het ook weer heel snel gaan als de politiek echt begrijpt wat er aan de hand is.'

Ewout Irrgang (SP), die zich samen met Kees Vendrik het meest heeft bekommerd om eerst de leasecontracten van Dexia en later de woekerpolissen, zegt dat de meeste financië-le woordvoerders van de partijen begrijpen wat er aan de hand is. Maar het is wat gemakkelijker om aan de hand van een man als Dirk Scheringa een financieel schandaal goed te laten doordringen dan met polissen waarvan de meeste houders geen idee hebben hoeveel er van de opbrengst is verdampt. DSB is een concreet probleem, voor de woekerpolis geldt dat veel minder, 'omdat de meeste consumenten niet doorheb-ben, hoe weinig ze hebben opgebouwd en nog zullen opbou-wen. De mensen snappen het gewoon niet.'

'Als het schaap verdronken is, dempt men hier de put.' Die woorden zouden misschien niet misstaan op de gevel boven een van de ingangen van het parlement. We hebben goed kunnen zien bij de woekerpolissen hoe de marktideologie van Zalms VVD heeft gewerkt. Degenen die de slechtste pro-ducten verkochten verdienden het meest. Irrgang: 'Bij de be-handeling van de Wet Financieel Toezicht in 2004 zeiden woordvoerders van het CDA nog letterlijk dat ze vertrouwden op zelfregulering van de markt. Die mening werd vervolgens door minister Zalm van harte beaamd. Als je die teksten naleest, denk je: hoe is het in godsnaam mogelijk geweest?'

Hoe is het in godsnaam mogelijk geweest dat de volksvertegenwoordigers zo lang een overduidelijke misstand hebben laten woekeren? 'Ik kan me nog goed een bezoek herinneren dat ik in 2001 bracht aan de AFM, samen met Agnes Kant,' vertelt Irrgang, afgestudeerd politicoloog en econoom en sedert 1997 lid van de SP. 'Arthur Docters van Leeuwen was er toen nog bestuursvoorzitter. We vroegen ons hardop af of het eigenlijk wel kon dat die producten, waarbij een rendement van 8 procent realistisch werd geacht, op de markt werden gebracht. Toen werd ons vriendelijk uitgelegd dat toezichthouders producten nu eenmaal niet kunnen toetsen of verbieden. En dat het voor socialisten als mevrouw Kant en ik misschien wel vreemde randverschijnselen waren. Zijn boodschap was duidelijk: je moet er in Nederland eerst een bende van maken voordat een toezichthouder mag en moet ingrijpen.'

Gek vindt hij het wel dat in Groot-Brittannië al in 1995 maximale kostenpercentages werden vastgesteld voor beleggingsproducten. 'En ik zie nu in Nederland vijftien jaar later nog steeds geen beweging om financiële producten te laten toetsen voordat ze op de markt worden losgelaten.' Gelukkig was daar DSB. Je kon nog zo veel waarschuwingen de wereld in sturen, maar nu kreeg het kwaad een gezicht in de vorm van één man, liefhebber van sport én kunst. Plotseling sprak half Nederland over wat zo lang een slaapmiddel was geweest: verzekeringen.

De peperdure kerstboompolissen van DSB met de in de praktijk waardeloze 'woonlastenbeschermers' werden oogluikend toegestaan door de STE en diens opvolger de AFM. Daarvan is Ewout Irrgang overtuigd. 'De financiële sector wil graag alles bij het oude laten. En de daarbij horende lobby is erg sterk. Ik vraag me weleens af aan welke kant minister van Financiën Wouter Bos eigenlijk stond. Je moet die lobby nu doorbreken, het ijzer smeden als het heet is. Het is daarom goed dat DSB failliet is gegaan. Stel je voor dat het een zogeheten systeembank was geweest. Dan had zo'n rotbedrijf nog moeten worden gered ook. De verzekeringsmaatschappijen hebben bij de woekerpolisaffaire enorme reputatieschade geleden. Dexia kon zijn biezen pakken na de affaire rond de leaseproducten. In die zin zou je toch moeten veronderstellen dat er iets is geleerd van de laatste lessen.'

Pessimistisch over de toekomst is hij dus niet, alhoewel hij graag de macht van de gewoonte doorbroken zou zien worden. 'Waarom neemt men in de raad van commissarissen geen mensen op die de directie juist wel met beide benen op de grond zetten? Waarom zijn het bij voorkeur oude mannen die worden gevraagd voor een commissariaat? Als ik baas zou zijn van een multinational zou ik juist graag te maken hebben met jonge mannen en vrouwen die een ander geluid laten horen.'

Waarom gaan sport en politiek zo veel op elkaar lijken? Scoren, geen genoegen nemen met een gelijkspelletje. Iedere keer weer dat toneelstuk van de calculerende boekhouder opvoeren, waarbij maar één ding telt: de stem van de kiezer. Helaas, rechtvaardigheid en recht lopen niet altijd hand in hand, zegt Irrgang. Hij ziet niet in waarom niet hetzelfde zou gaan gebeuren als bij Legio Lease en de Duisenbergregeling. Het overgrote deel zal zich volgens hem bij de woekerpolissen neerleggen bij de Wabekenorm. Omvallende verzekeraars? 'Ik zie het niet snel gebeuren. De meeste polishouders zullen de schikkingen volgen. Bij Legio Lease was het voor veel mensen waarschijnlijk beter geweest om verder te procederen. Ik zeg het met veel mitsen en maren.' De woekerpolisaffaire is als een steen die in de Hofvijver wordt gegooid. Een rimpeling in het water ter waarde van minimaal 20 miljard, hupsakee, morgen gezond weer op en verder met de waan van de dag?

Als Frans Weekers (VVD) het mag zeggen, zal het zo niet gaan. Hij is sinds 2006 financieel woordvoerder voor zijn partij en heeft de woekerpolisaffaire vanaf het begin gevolgd en van kritisch commentaar voorzien. Achteraf is het een stuk gemakkelijker praten, maar het lijkt er nu veel op dat miljoenen Nederlanders met een kater worden opgescheept in de vorm van een min of meer waardeloze polis en een armetierige compensatie. Dat kan nooit de bedoeling zijn geweest van het door 'de politiek' afgedwongen onafhankelijk feitenonderzoek. 'Minister Bos heeft ons destijd beloofd dat alle informatie over de beleggingsverzekeringen boven tafel zou komen. Uiteindelijk is dat niet gebeurd en is het bij een halve waarheid gebleven. Het moet zonder faillissementen van maatschappijen, maar recht zal geschieden.'

Dat de aandacht voor deze affaire is verslapt ('zowel bij media als politiek') heeft alles te maken met de kredietcrisis die in volle hevigheid losbarstte, toen zoals deze parlementariër het uitdrukt 'de ergste kou uit de lucht leek' bij de woekerpolissen. De claimstichtingen Verliespolis en Woekerpolis Claim hadden immers een schikking bereikt in samenwerking met ombudsman Wabeke en de verzekeraars. Alles zou goed komen. DSB was een andere bliksemafleider die de aandacht van de woekerpolissen afleidde. 'Toch heb ik me vaak afgevraagd of we niet eens met de Vaste Kamercommissie Financiën goed moesten kijken wat de Wabekenorm precies betekende voor de vele polishouders en of er wel een echte oplossing is bereikt.'

Niet dus, zo blijkt nu wel. De norm van Wabeke blijkt een veel te grove meetlat, roept meer vraagtekens op dan uitroeptekens. Weekers: 'De kostenonttrekking blijkt toch weer gigantisch, de consumenten weten nog steeds niet hoeveel geld er in het verleden is onttrokken aan hun inleg. Alles wijst erop dat je veel beter ouderwets kunt gaan sparen dan beleggen bij verzekeraars. Ze hebben toegezegd dat er een historisch kostenoverzicht zal komen. Dat is niet gebeurd tot dusver. Van mij mogen ze hun klanten pas in de toekomst schadeloos stellen, als ze weer wat meer vet op de ribben hebben. Met hun belachelijke prognose bij het afsluiten van de meeste contracten kun je spreken van misleiding. Die is bij de wet verboden. Je hebt er niets aan als maatschappijen omvallen, want van een levende kun je meer plukken dan van een dooie. Maar het mag niet zo zijn dat verzekeraars ermee wegkomen, omdat andere grote financiële problemen toevallig de aandacht opeisten.'

18 Wraak

Daartoe verplicht door de nieuwe regels maakte Peter van Hartevelt begin 2009 kennis met de waarde van zijn woekerpolis. Rendement: 80 procent, negatief welteverstaan. Door grote overtuigingskracht van zijn vrouw kon hij ervan worden weerhouden het blik feloranje verf, voor deze gelegenheid gekocht bij de Gamma, te openen. Hij had zijn woede willen verwoorden in grote, opvallende letters op de gevel van zijn thuisbankier in Leiden: D-I-E-V-E-N.

Kom, dacht Peter van Hartevelt, op dat moment een startend ondernemer, ik ga eens wat uurtjes uittrekken om te voorkomen dat ik op mijn oude dag onder een brug moet slapen of in een kartonnen doos. Hij maakte in Leiden een afspraak met een financieel adviseur, werkzaam bij een gereputeerde bank: ABN Amro. 'Ik heb een uur zitten praten in een keurige kamer met koekjes en koffie, alles netjes geregeld.'

Veertig jaar was Van Hartevelt op het moment dat hij de sprong waagde van een veilige baan in het onderwijs naar de distributie van in China gefabriceerde regenkleding. Heel mooie handel aanvankelijk. Het was erg goed, zo orakelde de ABN-meneer er lustig op los, dat zijn avontuurlijk ingestelde stadgenoot met zijn eigen bedrijf toch even aandacht besteedde aan later. Hij zag als een handlezende zigeunerin een groot pensioengat opdoemen voor de distributeur. Er kwamen naast koekjes en koffie ook 'allerlei getallen' voorbij in dat Leidse kantoor. 'Alleen: ik begreep niets van wat meneer P. mij probeerde te vertellen. Maar ik vond het gênant om dat te zeggen en zei dat ik erover ging nadenken.' Hoe de handelaar in regenkleding zijn hersens ook liet werken: het besprokene met betrekking tot zijn oude dag bleef hem duister. 'Een week later belde mijn adviseur wat ik ervan dacht. Na wat heen en weer praten vertelde ik hem dat hij best een keer mocht langskomen bij mij thuis, maar onder voorwaarde dat hij me dan wel in gewoon Nederlands zou uitleggen waarvoor ik nu precies moest tekenen.'

Om een lang verhaal kort te maken: het verkooppraatje van de adviseur, ondersteund door prachtige offertes en navenante rendementen, was weer verpakt in een dikke mistdeken van financieel jargon waar deze consument om het maar op zijn Hollands te zeggen geen pepernoot van snappen kon. 'Ik vond mezelf zo ontzettend dom dat ik dacht: laat ik het maar doen. In de media las je ook over de geweldige rendementen op de beurs. Je was een dief van je eigen portemonnee als je daaraan niet zou meedoen.' Het was wel verstandig dat Peter van Hartevelt een arbeidsongeschiktheidsverzekering zou afsluiten. Heel goed trouwens ook dat hij koos voor een niet al te riskant beleggingsmodel met 6,51 procent, waar toch sprake was – zo staat in zijn offerte van 11 augustus 1999 – van een historisch fondsrendement van 10,22 procent. Dag meneer, tot de volgende keer!

Toen de kersverse ondernemer zijn nieuwe aanwinst, ABN Amro Flexibel PensioenPlan Privé, met aanvankelijke trots liet zien aan zijn belastingdeskundige zei deze alleen maar: 'Nou Peter, volgens mij zit meneer P. nu op de Bahama's.' De verzekerde dacht aan een geintje, kom op zeg, hij zou toch zeker in 2024 een bedrag van 356.350 gulden tegemoet kunnen zien, om te zetten in lijfrente om niet met vrouw en twee zonen in een kartonnen doos onder de brug van het Boterdiep te hoeven belanden. 'Het bedrag klonk mij persoonlijk niet naar in de oren.' Daar dacht hij heel anders over toen de ABN

Amro, daartoe verplicht door de nieuwe wetten WFT en WFD, in 2008 voor het eerst de werkelijke waarde van zijn polis toonde met alle toeters en bellen van de diverse kosten. Saldo op 31 december 2008: 10.833,98 euro. Rendement: 80 procent, negatief welteverstaan. Dag meneer, tot de volgende keer!

Peter van Hartevelt weet van zichzelf dat hij driftig is, een karaktertrek waaraan zijn naaste omgeving gewend is geraakt, maar dat de woede hem zo zou overmannen nadat de financiële abracadabra eindelijk van alle geheimen ontdaan tot hem was doorgedrongen, verbaasde hem. 'Ik ben meteen naar de Gamma gereden om een pot feloranje verf te kopen. Daarmee was ik van plan in koeien van letters zes letters op de ramen van het Leidse kantoor van ABN Amro te schilderen: D-I-E-V-E-N. Maar ja, mijn vrouw hield me tegen. Ik was net op zoek naar een nieuwe baan in het onderwijs.' De briesende consument bedacht nog net op tijd dat het geen goede aanbeveling zou zijn om als leraar betrapt te worden op vuilspuiterij.

De kredietcrisis had zijn handel in regenkleding ineen doen storten. De eerlijkheid gebiedt te zeggen dat hij de maandpremie voor zijn flexibele pensioenplan wel wat had verlaagd, van 500 naar 350 gulden. Maar feit blijft dat het resultaat een negatief saldo van ongeveer 80 procent van zijn inleg was. Na goede bestudering van alle, zo lang verborgen gebleven kosten, werd duidelijk waarom zijn belastingconsulent destijds de opmerking maakte over de financieel adviseur onder een parasol op de Bahama's.

Van zijn bijna tien jaar daarvóór afgesloten polis ging in 2008 nog steeds een kleine 20 procent aan kosten af, voordat zijn gelden werden toevertrouwd aan het rad van avontuur van zijn aandelenmandje, een onbegrijpelijk ratjetoe: FLF Global Property Securities, AAF Global Bond Fund Alrenta, AA Global Fund, Kapitaalmarktrente Rekening, FLF Global High Income Equity en Fortis L Fund Bond Europe Plus. En bij het indrukwekkende rijtje aan inhoudingen stond: kosten bemiddelaar of verzekeringsadviseur. Van Hartevelt betaalde na tien jaar nog altijd voor de slechte adviezen van zijn tussenpersoon.

'De vuile rotschoft! Ik heb nog overwogen om een bivakmuts op te doen, terwijl ik de zes oranje letters op de ramen zou zetten. Maar van een buurman, die uitsmijter is bij een discotheek, hoorde ik dat de politie binnen twee minuten ter plaatse kan zijn. Daarvoor heb je tegenwoordig fietspatrouilles. Ik had heel graag mijn woede geuit. Hier is toch sprake van pure diefstal? Van de 18.000 euro door mij ingelegd, is nog maar tien mille over. Ik begrijp ook niet het gebrek aan bescheidenheid dat steeds blijkt als je de directeuren hoort praten over de crisis. Ze hebben helemaal níéts fout gedaan. Er is níémand die zich schaamt.'

Dat laatste weet hij zo zeker vanwege een recent bezoek dat hij bracht aan het door hem gehate kantoor om een rekening te openen voor een spaarloonregeling van zijn nieuwe werkgever, een school voor moeilijk opvoedbare kinderen. 'Dat gaat om kleine bedragen. Een mevrouw zei me dat ze iemand zou proberen te zoeken en dat ik eventueel een andere keer moest terugkomen. Het bloed begon bij mij weer meteen te koken. Uiteindelijk heb ik een monoloog van een kwartier gehouden tegen het meisje dat me hielp. Ze zei dat ze niet mee had gedaan aan wat ik diefstal noemde door een grote oplichtersbende. Haar gezicht werd alsmaar roder. Ik zei nog: je hebt wel gekozen voor dit bedrijf.'

Peter van Hartevelt heeft de premiebetaling voor zijn woekerpolis met onmiddellijke ingang stopgezet. Die actie kost hem wel 2,84 euro per maand tot en met het jaar 2024, als hij 65 hoopt te worden. Weer ruim 500 euro in de muil van dat onverzadigbare monster. 'Dat zijn beheerkosten, zo werd me telefonisch uitgelegd. Toen heb ik weer een kwartier zitten schelden. Waar ze het lef vandaan haalden om gewoon te blijven stelen, terwijl ze al zo veel gestolen hebben.'

Zijn wraakzucht had Van Hartevelt ook heel graag willen botvieren op de 'oppertollenaar'. 'Ik heb helaas niet kunnen achterhalen waar meneer D.J.P nu verblijft, hij werkt in ieder geval niet meer in Leiden. Ik had hem wat graag achter zijn bureau vandaan willen trekken om hem een paar welgemikte stompen op zijn gezicht te geven, de farizeeër. Of hem op een donker plekje in Leiden op willen wachten met een onopvallend gebreid mutsje op. Of hem desnoods op stiekeme wijze willen gaan stalken, want ja, ik heb eerlijk gezegd geen veroordeling over voor iemand die mij zo smerig te grazen heeft genomen.'

Inderdaad, als importeur heeft hij zelf ook winst gemaakt. En ja, het door hem voor negen of tien euro ingekochte regenpak ging bij Bristol voor ruim het dubbele over de toonbank. 'Maar dat is handel en geen stelen. Wat banken en verzekeraars doen is stelen, terwijl hun werk stoelt op vertrouwen. Dat maakt het zo erg. Kijk, wijlen mijn vader was melkboer, een kleine zelfstandige die van 's morgens zes tot 's avonds negen werkte en de zondag uittrok om zijn rekeningen te schrijven. Iedere cent kon hij verantwoorden. Zo ben ik opgevoed met respect voor mijn en dijn. Die meneer P. en zijn bank hebben geen idee van eerlijk arbeidsethos. Het is tuig van de richel.

Kijk toch wat er gebeurt bij die meneer Scheringa. Dat mensen met hem weg blijven lopen en voetbalsupporters uit volle borst zingen: *you never walk alone.* Dat is toch bizar! Domme, domme, zeer domme mensen die je bijna een woekerpolis zou toewensen. Weet je, als ik mijn geld thuis veilig kon stallen, zou ik het morgen linea recta van de bank halen. De mensen worden massaal bestolen, en het gaat gewoon door. Vroeger leidden oplichtingspraktijken tot lynchpartijen. Ik sluit persoonlijk niet uit dat boze klanten op een dag

met molotovcocktails een bankgebouw bestormen en de ramen ingooien, minstens. Natuurlijk zoek ik de schuld niet bij
mijzelf, ik heb vertrouwd op de expertise van een financieel
deskundige. Logisch toch?'

19 Hoop

Antwoord op de vraag die alle woekerpolishouders in Nederland bezighoudt: wat is wél een redelijke compensatie voor de geleden schade? Een rechter in Utrecht gaf recent een belangrijke voorzet. Bij de stichting Foppolis ligt munitie klaar voor wat initiatiefnemer René Graafsma een systeemcrisis noemt. Ook in de aanbieding: een calculator om te berekenen of u de woekerpolis maar beter meteen kunt afkopen.

Prachtig nieuws voor aanhouders kwam zomer 2009 van de Utrechtse rechtbank. Stichting Koersplandewegkwijt dat eigenaren van woekerpolissen onder de naam Koersplan van Aegon vertegenwoordigt, werd juridisch in het gelijk gesteld. Dat kan enorme consequenties hebben voor de multinational, die in Nederland ongeveer 650.000 van dergelijke contracten in omloop bracht, vooral in de jaren negentig, en daarmee topper is in de hitparade van populaire woekerpolissen. Over het algemeen betreft het relatief kleine contracten, bijvoorbeeld bestemd om de studie van kinderen te financieren. Zoals alle woekerpolissen zagen de offertes van deze producten er veelbelovend uit.

Wat je als simpele consument niet kon weten, was dat verhoudingsgewijs een belachelijk groot deel van de lage premie rechtstreeks verdween in de portemonnee van de verzekeraar ter dekking van het overlijdensrisico. De Utrechtse rechter vindt dat ook bij nader inzien en gelastte Aegon ongeveer 85 procent (!) van die verborgen kosten te compenseren.

Het was voor de betrokken consumenten een fantastische uitspraak, waartegen advocaten van de multinational ogenblikkelijk hoger beroep aantekenden. Eenvoudige rekensommetjes van financieel expert Kapé Breukelaar maken begrijpelijk waarom. Hij liet zijn calculator los op 28 onderzochte, intussen beëindigde contracten van het rotproduct met een gemiddelde eindopbrengst van 15.847 euro per polis. Volgens de uitspraak van de Utrechtse rechter moet Aegon gemiddeld 2206 euro compenseren. Dat is een extraatje voor de gedupeerde polishouders van 13,9 procent. Vergelijk je dat getal, en Breukelaar doet dat juichend, met de compensatie die de verzekeraar in gedachten had op basis van de Wabekenorm, dan scheelt het bij bovengenoemde voorbeelden bijna 1900 euro per polis. Kassa! Vermenigvuldig die getallen nu eens met 650.000 (want de compensatie zal ook voor alle andere gedupeerden moeten gelden) en je kunt je de grote schrik voorstellen die was af te lezen op de gezichten van de advocaten van de gedaagde partij.

Niet zo snel opgeven blijkt te lonen, hoewel moet worden afgewacht of de hogere rechter er ook zo over zal denken. Gezien de onthullingen in de vorige hoofdstukken mag het geen verbazing wekken dat de uitspraak van de Utrechtse rechtbank vooral voortvloeide uit de torenhoge premies van de overlijdensrisicodekking, volgens Kapé Breukelaar 500 procent boven de gangbare en marktconforme prijzen. 500 procent! 'Het hoger beroep kan weer twee jaar in beslag nemen,' vertelt deze aanhouder met de berusting van een langeafstandsloper die weet dat hij nog ver te gaan heeft, 'over onze eerste zaak hebben we ook 3,5 jaar gedaan. Dat is typisch Aegon, dat juridisch alles tot de allerlaatste dag rekt. De andere strategie is om daarnaast een enorme hoeveelheid informatie bij de rechtbank naar binnen te kieperen, waardoor een dikke mist ontstaat en het voor rechters heel moeilijk wordt om door de bomen het bos nog te zien.'

De boodschap is in elk geval heel duidelijk: niet opgeven en wat Breukelaar betreft bij de 7 tot 8 miljoen andere woekerpolissen nooit genoegen nemen met de schikkingen, tot dusver overeengekomen met de claimstichtingen op grond van de Wabekenorm. Niet doen! Het liefst ziet hij dat Nederland in opstand komt, massaal. 'Ik ben er een groot voorstander van.' Waarom de twee grote stichtingen nooit met hem contact gezocht hebben? 'We hebben één keer een gesprek gehad met Jeroen Wendelgelst, de advocaat die Woekerpolis Claim vertegenwoordigt. Hij had zich in het verleden ongemeen fel uitgelaten over de compensatie bij Legio Lease aan de hand van de Duisenbergregeling. Ik heb aangeboden onze datagegevens van minimaal 300 ijzersterke zaken ter beschikking te stellen onder voorwaarde dat wij ook tot de onderhandelingen werden toegelaten.

De twee stichtingen hadden er hun mond van vol dat ze gerechtelijke procedures zouden opstarten. Nou, er is er geen één geweest. Daar heb ik me enorm aan geërgerd. We wisten dat ze met Aegon in gesprek waren en dat deze partij onder geen beding met Koersplandewegkwijt wilde onderhandelen. Die hebben willens en wetens met twee van de drie stichtingen een akkoord gesloten en de derde bewust buiten de deur gehouden. Sorry hoor, maar als je nu de akkoorden bestudeert van de twee claimstichtingen, is "halfzacht" een heel vriendelijke analyse.' Rectificatie: 'Nou ja, eigenlijk vind ik dat ze een wanprestatie hebben geleverd.'

Voor *De Telegraaf* schrijft hij in begrijpelijke grotemensentaal over geld. 'Zo kreeg ik een dossier opgestuurd van een consument die lid was geworden van Koersplan. Toen ik wat dieper ging graven in de polisvoorwaarden, gingen mijn haren rechtovereind staan. Ik heb daar een stukje over geschreven onder de kop "Koersplan de weg kwijt". Aegon trok de trukendoos van de verborgen kosten wijd open bij deze beleggingsverzekering. In dit geval ging bijna 20 procent van de ingelegde premie alleen al op aan de overlijdensrisicoverzekering. Terwijl de polisvoorwaarden vertellen dat de uitkering bij overlijden slechts de som van de betaalde premies zal zijn plus 4 procent rente. Met andere woorden: de premie om onverhoopt overlijden te verzekeren was overbodig.

De offerte van bovenstaand voorbeeld beloofde de klant (die 300 gulden per maand inlegde) na 21 jaar een eindkapitaal van 242.700 gulden. Maar na tien jaar stond de teller op iets meer dan eentiende van dit bedrag: 26.167. Spaarbeleg (lees: Aegon) adviseerde de klant geduld te hebben, de slechte tussenstand zou te wijten zijn aan het negatieve beursklimaat. Het was meer geluk dan wijsheid ('Er was weinig nieuws die dag') dat een van de vervolgverhalen belandde op de voorpagina van de krant waarvoor hij regelmatig schrijft. Met een kop van chocoladeletters nog wel, en waarschijnlijk heeft dit stuk de lawine veroorzaakt waartoe de woekerpolisaffaire zou leiden. 'De journalist Bart Mos heeft er een vernietigend artikel aan gewijd met als kop "Miljardenclaim wacht Aegon". Communicatiedirecteur Jan Driessen was woedend op mij, maar ik had hem echt alle gelegenheid gegeven om te reageren op mijn bevindingen.'

De bal die ging rollen was niet meer te stuiten. Na een uitzending van *Kassa!* (consumentenprogramma van de VARA) en wat reacties op de website van *De Telegraaf* was het bijna vanzelfsprekend om een stichting op te richten die zich ging bekommeren om de gedupeerden. De naam lag voor de hand: Koersplandewegkwijt. Het overgrote deel betreft dus kleine polissen met een inleg van 50 of 100 euro per maand. Maar wel meestal met een lange looptijd, 'lekker' voor de provisie. Hij heeft contracten 'voorbij zien fietsen' van wel vijftig jaar. Premie maal duur maal provisie. Dat tikt aan.

'Het was een enorme handel,' vertelt Kapé Breukelaar, zelf ook wel enigszins verrast door wat hij had aangericht met zijn artikel. 'De polis – even een handtekening zetten – zat als het ware standaard in geboortepakketjes voor kersverse ouders. De verkopers hadden ze in de kofferbak van hun auto liggen naast een berg knuffelbeesten. De grote winstmaker was dus de premie voor overlijdensrisico. En of je nu een baby was of iemand van 55 jaar, altijd rolde dezelfde prognose uit de offertes.' Daar zag je meteen al dat er iets niet klopte, want hoe ouder hoe hoger de premie zou moeten zijn, want hoe groter ook het risico dat het tijd was voor de eeuwigheid.

Rekenen kun je wel overlaten aan Kapé Breukelaar, die onder meer bedrijfskunde studeerde aan Nyenrode en zes jaar in 'het bankvak' werkzaam was bij Mees en Pierson, voordat hij zijn eigen bedrijf Capital Consult & Coaching ('Particulieren begeleiden op financieel gebied in de breedste zin van de betekenis') begon. Dat vinden zijn tegenstanders niet leuk. Aan de hand van cijfers van de AFM laat hij in een paar zinnen zien waarom de regeling op grond van de Wabekenorm helemaal niets voorstelt: 'Volgens gegevens van de AFM was eind 2007 voor ongeveer 70 miljard aan premie ingelegd voor woekerpolissen. De inleg bedroeg om en nabij 6 miljard per jaar. Laten we zeggen dat we nu op een totaal van 90 miljard zijn uitgekomen en dat het doorgroeit de komende tien tot vijftien jaar naar 150 miljard. En volgens de norm van de claimstichtingen mag er jaarlijks 2,5 procent aan kosten over de totale waarde, dus niet over de premie, worden ingehouden. Legaal!'

Dan kan een kind uitrekenen dat die hele compensatie, hoe hard er ook op de loftrompetten werd geblazen door veel partijen, helemaal niets voorstelt. Het bedrag dat nu is afgesproken (bijna 2,5 miljard) is al binnen twee jaar weer terugverdiend door de verzekeraars. Die vervolgens in de resterende jaren hun woekerwinsten vrolijk fluitend kunnen incasseren, daarbij luid toegejuicht door het ministerie van Financiën. 'Dat noemen we dan een akkoord, terwijl je het zou moeten hebben over een flutregeling. Extra geld voor de zogeheten crepeergevallen verandert daar niets aan. 95 procent van dit soort polissen is geen crepeergeval, maar daar blijft bitter weinig over van de ooit zo blozende offertes.'

Je kunt dus beter, aldus deze cijferkoning, langer blijven knokken op juridisch niveau om nog enigszins je gram te halen. Het zal nooit leiden tot volledige compensatie bij Nederlandse rechters, maar in elk geval tot meer dan nu is bereikt. Maak nu eens een vergelijking met wat de uitspraak van de Utrechtse rechter van mei 2009 betekent aan compensatie en je praat al snel over bedragen tien keer hoger dan de tot dusver afgesproken 2,5 miljard. Het is grappig om te constateren dat dit bedrag in de buurt ligt van de ramingen van Arnoud Boot, die praat over een schade van minstens tussen 20 en 30 miljard. 'Ik denk dat het daar uiteindelijk op zou moeten uitdraaien. Dan praat je over een redelijke vergoeding, niet eens fantastisch, maar redelijk.'

De stichtingen moeten terug naar de onderhandelingstafel, of desnoods moet een nieuwe belangenbehartiger ('Een stichting, want dan kun je slagvaardig handelen. Een vereniging? Je moet er toch niet aan denken een ledenvergadering uit te schrijven voor 17.000 mensen?') het voortouw nemen. 'Er moet een tweede ronde komen voor een redelijker compensatie. Dat is duidelijk. Ik denk niet dat de woekerpolisaffaire met een sisser gaat aflopen, hoe graag de verzekeraars, ambtenaren van het ministerie van Financiën en AFM het ook zouden willen. Dat de multinationals met de hakken in het zand gaan staan, neem ik ze helemaal niet kwalijk. Maar kijk heel simpel naar de cijfers.'

De rebellie van Breukelaar klinkt tussenpersoon René Graafsma als muziek in de oren. Met zijn stichting Foppolis roept hij op tot de grootst mogelijke burgerlijke ongehoorzaamheid. Te paard, te paard, we zijn verraden! Op zijn website laat hij mooi zien dat het heel goed mogelijk is dat u straks gelegitimeerd en wel door de Wabekenorm meer aan premie gaat betalen dan dat er nog kan worden belegd in die schitterende beleggingspolis van u. Actie dus, en hij heeft draaiboeken klaarliggen waarin de slaperige burger wakker moet worden geschud door 'theaterachtig' spektakel. De pensioenspecialist uit Hollandsche Rading wil dat consumenten hun polis nog eens goed bestuderen. Hij schat in dat het beste antwoord zal zijn: massaal afkopen.

Een digitaal boek waarmee hij de gedupeerden wegwijs wil maken op hun wraaktocht ligt op de plank, en hij zegt niet te zullen rusten voordat Nederland weet wat er aan de hand is. Hij heeft zelfs vergunning gevraagd om zichzelf te mogen ophangen op het Binnenhof. Echt waar. Hij laat een bevestiging van het desbetreffende verzoek zien. Maar antwoord heeft hij tot dusver niet gekregen. Het was Graafsma natuurlijk te doen om media-aandacht, hij ging zichzelf niet echt ophangen, hij zal daar gek wezen. Nee, hij was van plan een grote foto van zichzelf te bevestigen in Nieuwspoort. 'Een politie-agent van Haaglanden belde me met de vraag of ik serieus was. Meneer de politieagent, heb ik netjes geantwoord, ik ben al sinds 2005 bezig om uit te leggen wat er aan de hand is, maar niemand wil naar mij luisteren.'

De schellen vielen hem van de ogen, zo legt hij in bloemrijk Nederlands uit, toen hij een brief kreeg van een verzekeraar die hem aanmoedigde om zo veel mogelijk woekerpolissen te verkopen. 'De aanhef was: "Vraag niet hoe het mogelijk is, maar profiteer ervan." Ik vond die tekst zo denigrerend, dacht er tien seconden over na en realiseerde me toen opeens: ik ben niets meer dan een doorgeefluik en word niet geacht zelfstandig na te denken.'

Wat tot niemand schijnt door te dringen is dat de door Wabeke bedachte norm helemaal niets met kosten heeft te maken. 'Kosten waarvan?' zegt Graafsma. 'Laat iemand mij eens proberen uit te leggen waarvan het een percentage is. De ombudsman heeft een oplossing bedacht voor het gigantische probleem van de zieke polissen die nog slechter is dan de kwaal. Daar bestaat geen twijfel over. De truc van het hele verhaal, ik noem het echt een truc, is dat "men" dus kosten presenteert maar niet laat weten kosten waarvan. We noemen dingen kosten die helemaal geen kosten zijn. Het is een winstmodel! Ja, een verdienmodel!'

'Den Haag' wil het niet horen. Dus maar weer een boze brief verstuurd, nu geadresseerd aan de voorzitter van de parlementaire commissie die onderzoek doet naar het financieel stelsel, de weledelgestrenge heer mr. J.M.A.M. de Wit. Als reactie op een statement van het Verbond van Verzekeraars naar aanleiding van de uitzending van *Tros Radar* (januari 2010) waarin Graafsma fijntjes de norm van Wabeke had lek geschoten. Mooi was te zien hoe de tovenaars van de Bordewijklaan het woord 'woekerpolis' wisten te omzeilen.

De persverklaring van het verbond luidde aldus: 'De stichtingsakkoorden op basis van de aanbeveling van ombudsman Wabeke worden maatschappelijk breed gedragen en hebben de steun van vrijwel alle betrokken polishouders. Met de schikkingen is in totaal een bedrag van ruim 2,5 miljard euro gemoeid. Dat consumenten met deze akkoorden slechter af zijn dan zonder een kostennorm klopt niet, om de eenvoudige reden dat toepassing van de akkoorden de kosten maximeert.

De stichtingsakkoorden kunnen dus alleen als uitkomst hebben dat een klant geld terugkrijgt als de werkelijk ingehouden kosten hoger zijn dan volgens de norm is toegestaan. De verrekening vindt bij de betrokken maatschappijen aan het eind van de looptijd van de polis plaats. De te verwachten compensatiebedragen die deze verzekeraars jaarlijks aan de klant melden, en die nu onderwerp vormden van een uitzending van *Radar* op 18 januari, geven daarvan slechts een indicatie. Deze bedragen kunnen van jaar tot jaar fluctueren, omdat de daadwerkelijke toekomstige waardeontwikkeling van de polis van invloed is op het uiteindelijke resultaat. Het Verbond van Verzekeraars is geen partij bij de stichtingsakkoorden, maar heeft deze wel verwelkomd als een passend antwoord op de problematiek bij een deel van de beleggingsverzekeringen.'

Was getekend: het Verbond van Verzekeraars.

Gebruikelijk vakjargon, nauwelijks te begrijpen, en alleen maar bedoeld om het mistgordijn rondom de woekerpolissen nog wat strakker dicht te trekken. Maar denk je nu echt, schuimbekt Graafsma, dat één zinnig mens de handtekening had gezet onder de compensatieregeling van de andere claimstichtingen, als was geweten dat de 'schadeloosstelling' een sigaar uit eigen doos is? Het schandaal van de woekerpolissen wordt alleen maar voortgezet, en nu volkomen legaal. Weg met de schikking, en wel onmiddellijk!

Hij werkte mee aan het noodlottige programma van *Tros Radar* dit jaar, waarin de compensatienorm van Wabeke tot de grond toe werd afgebroken. Antoinette Hertsenberg en collega's toonden aan de hand van ontluisterende rekensommen haarfijn aan dat de aanvankelijk bejubelde schikking het woekeren van de producenten alleen maar heeft gelegaliseerd. Pijnlijker nog om te zien was hoe een 'belangenbehartiger' als de jurist Jeroen Wendelgelst, in de gordijnen gejaagd door kritische vragen, het opnam voor de 'vijand', de verzekeraars. Want wisten de kijkers wel hoe hoog beheerkosten konden oplopen?

Wendelgelst heeft tonnen verdiend aan wat de verzekeraars zelf ook een 'hoofdpijndossier' noemen, en de consument wordt opnieuw geconfronteerd met een kat in de zak. 'Eerst Wabeke met zijn belachelijke norm,' zegt Peter Post van MoneyView, 'en vervolgens de tragiek van 7 miljoen polishouders die zich laten vertegenwoordigen door dit soort consumentenstichtingen. En wie is de dupe? De consument.'

René Graafsma wijst in zijn werkkamer naar een indrukwekkende rij ordners waarvan de inhoud niets te raden overlaat. 'Woekerpolissen' staat er in duidelijk geschreven letters op ieder afzonderlijk exemplaar. Daar liggen de bewijzen waarmee hij, als hij het zou willen, een systeemcrisis kan veroorzaken. Geen kredietcrisis, maar een financiële ramp die vele malen groter is. Hij zegt zelf alle woekerpolissen de deur uit te hebben gedaan en dat het hem veel geld heeft gekost aan provisie, maar – en dat hebben de meeste adviseurs volgens hem niet goed door – ze kunnen en zullen door de nieuwe regels van de Wet Financieel Toezicht straks ook aansprakelijk gesteld gaan worden door opstandige klanten. Dan zullen er nog meer tussenpersonen hun kantoren kunnen sluiten dan vorig jaar al het geval was.

Maar hij wil geen Pieter Lakeman zijn, wat gemakkelijk zou kunnen en nog wel in het kwadraat als de pensioenen worden meegeteld. 'Dan heb je het echt over een bloedbad. Je moet niet willen dat verzekeraars omvallen, of dat ze met hun hele kapitaal naar het buitenland vluchten. Verzekeraars en banken genieten veel politieke macht, ook nu nog. Het zijn aanjagers van de economie en politici kunnen het zich niet permitteren dat de hele santenkraam de benen neemt. Maar de meeste politici snappen heus wel dat de schikkingen niet deugen.'

Geen omvallende maatschappijen dus, wat betreft deze dissident. Maar wat dan wel? Er zal een herziening moeten komen, waardoor de compensatie (veel) gunstiger uitvalt. 'Want met deze schikking draaien de verzekeraars hun eigen nek om. Die gaat niet werken, zeker op termijn niet. De polishouders zullen doorkrijgen dat ze met de kostenmaximalisering van 2,5 of 3,5 procent – voor garantieproducten is soms zelfs 4,5 procent toegestaan – op zeker moment meer kosten maken dan dat ze premie betalen.' De krankzinnige kosten hebben volgens Graafsma veel te maken met de machtsovername door de banken. 'Die hebben de verzekeraars leeg gegeten. Kijk eens naar Nationale-Nederlanden (geannexeerd door ING), oorspronkelijk afkomstig uit Zutphen. Daar hebben ze ooit een aardappelcrisis meegemaakt. Dat bedrijf ging de boeren helpen, want die moesten ook eten en drinken. Nu lijkt het alleen nog maar om eten en drinken van de verzekeraars te gaan, op kosten van de consument. Het systeem is doodziek.'

Dat alle verantwoordelijken nu de verkeerde kant uit kijken, met een nek stram van de spierpijn, kan hij alleen verklaren met inzichten die hij opdeed bij zijn studie medicijnen. 'Het heeft te maken met een overlevingsmechanisme in ons limbisch systeem, het oudste deel van onze hersenen. Je kiest voor wat je de meeste kansen biedt op overleven. Maar het is kortetermijndenken. De consument gaat wakker worden, let op. Ze gaan doorkrijgen dat de Wabekenorm een winstmodel is, duur ook nog. De Nederlandse Mededingingsautoriteit roept natuurlijk ook dat ik een don quichot ben, een roepende in de woestijn.' Foppolis heet zijn stichting, en de munitie ligt klaar voor een systeemcrisis. Wie niet horen wil, moet voelen.

Dat vindt Marcel Piket, eveneens een financieel deskundige die de verbale zweep niet schuwt, ook: als de verzekeraar nog steeds niet luisteren wil, is het echt tijd voor de pijnbank. 'Vroeg of laat krijgen ze de rekening gepresenteerd. Daar heb ik helemaal geen medelijden mee.' Op de site die hoort bij het blad waarvan hij hoofdredacteur is (*FiscAlert*) staat een calculator waarmee je kunt uitrekenen of het nog wel zin heeft je dure woekerpolis voort te zetten. 'En een polis afkopen kan bijna altijd, al zullen de maatschappijen of tussenpersonen benadrukken dat het fiscaal ongunstig is. Onzin. Waarom nog tien jaar lang twee of vier mille storten in die bodemloze put?'

Kansen genoeg gehad om de sector te reguleren. 'Het is achterhaald dat ze het zelf doen. De toezichthouders moeten het nu gaan doen. Ik hoor de AFM weleens zeggen dat ze geen namen mogen noemen van bepaalde aanbieders. Ik zeg: laat ze dat maar wel doen, en publiekelijk. En niet een boete uitdelen van 20.000 euro, nee van een miljoen. Bij herhaling van dezelfde overtreding: 5 miljoen. Enzovoort. De verzekeraars denken nu dat ze de zonde van de woekerpolissen hebben afgekocht met een paar honderd miljoen. Ze zijn volgens mij inmiddels weer overgegaan tot de orde van de dag. Eigenlijk wordt daarmee bedoeld: we gaan weer lekker verder op de oude voet.'

Neem van hem aan dat over de Wabekenorm zeer goed onderling is overlegd, voordat de onderhandelingen met de claimstichtingen Verliespolis en Woekerpolis Claim werden ingezet. 'Kijk, de oude woordvoerder van Aegon, Ton Elias, zit nu voor de VVD in de Tweede Kamer. Niets ten nadele van die man, hoor. Maar als ik bij Aegon zou werken en problemen zie met betrekking tot verzekeringen, weet ik wel wie ik zou bellen. Verandering komt echt niet vanuit de maatschappijen zelf. Die moet je afdwingen.'

Als de woekerpolissen en het faillissement van DSB ons nog niet hebben geleerd dat we af moeten van het huidige provisiestelsel, wat moet er dan nog meer gebeuren voordat iedereen wakker is? Vroeger, zo vertelt Marcel Piket, werden traditionele levenspolissen ook al belast met percentages tussen de 20 en 40 procent. 'Alleen heetten ze toen nog geen woekerpolissen. Je ziet nu al dat de winsten omlaag gaan, normaler worden, zou ik willen zeggen. Bestudeer maar eens goed de balansen van Nationale-Nederlanden en Aegon en kijk naar de verhouding tussen beurskoers en winst. Die zijn heel duidelijk aan het saneren.'

En wat uw eigen woekerpolis betreft, raadt Piket aan zijn calculator te raadplegen. Grofweg adviseert hij 'jonge' polissen sowieso af te kopen en met dat geld zelf te gaan beleggen of sparen. 'Zit je in de fase van de laatste vijf jaar dan zeg ik: trek 'm maar door en wacht de, waarschijnlijk kleine, compensatie af. En praten we over een paar ton dan zal het waarschijnlijk de moeite waard zijn om te gaan procederen. Ik heb totaal geen medelijden met de verzekeraars. Dat ze wat minder winst gaan maken, goh, wat vervelend is dat nou. Als je ziet hoeveel miljarden ze hebben verdiend, is het echt niet erg om er een paar terug te moeten betalen.' Op de barricaden dus, en snel een beetje.

20 Media

De raarste vraag van het jaar: is het aanpakken van verzekeraars en banken niet een beetje links? Antoinette Hertsenberg, bedenker van het woord 'woekerpolisaffaire', hield als altijd het hoofd koel en greep de gelegenheid aan haar verbazing uit te spreken over het feit dat dit financiële schandaal zo lang kon doorsudderen in de luwte van de actualiteit. Schijnbaar een beetje saai, maar de meeste programma's over dit onderwerp scoren bij Tros Radar *de hoogste kijkcijfers. Opgepast: de bodem van de beerput is nog niet in zicht!*

De laminaatvloeren hebben er plaatsgemaakt voor de woekerpolissen en het verbazingwekkende aan de metamorfose is dat vriend en een enkele vijand roepen dat *Tros Radar* de plaats moet innemen van de Consumentenbond. Ook verrassend: de uitzendingen over de verzekeringen halen de allerhoogste kijkcijfers, regelmatig 2 miljoen. Het heeft niet eens te maken met Dirk Scheringa, 'schurk met hoge aaibaarheidsfactor', en zijn zinkende schip. Niets daarvan, de kijkers kwamen in reusachtige getallen af op wat je nauwelijks kon geloven en wat heel veel Nederlanders nog steeds niet geloven. Ze worden belazerd waar ze bij staan, en dat nog wel door die o zo saaie verzekeraar die je tot voor kort vereenzelvigde met de plaatselijke dominee. Zo saai en vertrouwenwekkend dat je snakte naar sodom en gomorra.

Is het aanpakken van verzekeraars en banken niet een beetje links? Die vraag wint de prijs voor de raarste vraag van het jaar. Alsof het signaleren van een financieel schandaal van dergelijke omvang iets te maken heeft met stemmen op de vvd of de Socialistische Partij, met het lezen van *De Telegraaf* of *Vrij Nederland*. Wat *Tros Radar* heeft gedaan, en het programma krijgt er eeuwig krediet voor, is wat andere programma's, kranten en weekbladen eenvoudig niet begrepen of misschien wel te saai voor woorden vonden. De 'raarste vraag' werd nota bene gesteld in het vakblad voor journalisten, *Villamedia*, echt waar. Antoinette Hertsenberg, door de redactie van *Villamedia* uitgeroepen tot journalist van het jaar 2009, nam de gelegenheid te baat haar zorg uit te spreken over het niveau van de onderzoeksjournalistiek in Nederland.

'Eigenlijk zijn we jarenlang een journalistieke einzelgänger geweest. Wij hebben ons echt verbaasd dat niemand het oppikte toen in 2006 het begrip "woekerpolis" begon te leven. Waarom dat zo is? Omdat veel journalisten het zelf niet snappen. Maar als zij het niet snappen, is het juist hun taak om erin te duiken. Zeker als je weet dat bedrijven informatie achterhouden.'

Programmamaker Kees Palsma, verslaggever zonder enige financiële achtergrond, hoorde bij zijn sollicitatiegesprek in 2003 dat het consumentenprogramma hard wilde werken aan een ander imago. Minder laminaat en meer geldzaken. 'Nooit kunnen denken dat ik programma's zou gaan maken over woekerpolissen!' Wat Hertsenberg in het interview met *Villamedia* niet vertelde, vertelt hij. 'Voor de eerste uitzending over deze polissen, 6 november 2006, zaten we op de redactie te brainstormen over een naam. Samen met Cindy Wever had ik research gedaan, we waren bezig met montage en script, maar teksten schrijven was een worsteling. Beleggingsverzekeringen, beleggingspolissen – dat zijn bepaald geen woorden met een sexy uitstraling. Het ging over woekeren. Ik had net een boek gelezen over Joden in de Lage Landen, maar het waren toch vooral christelijke bankiers die de hoogste prijzen rekenden. Op dat moment gaat de telefoon, belt Antoinette. Ze zegt: wat dachten jullie van "woekerpolisaffaire"?'

Goud waard die mevrouw Hertsenberg, via een listig omweggetje door de journalist van *Villamedia* gewezen op haar eigen 'woekersalaris' bij de Tros van 284.642 euro en 63 cent. Een van de grootste bezwaren van 'de affaire' is dat het zo veel verschillende polissen betreft. Niet alleen gekoppeld aan hypotheken, maar ook aan spaarloonregelingen, pensioenen en lijfrentes. Het komt de verzekeraars die daar graag nog een schepje bovenop doen goed uit dat maar weinig Nederlanders over het vermogen beschikken door de bomen het bos te zien. Vandaar dus het grote enthousiasme op de redactie van *Tros Radar*, die zesde november van het jaar 2006. Woekerpolissen, eureka! Daar kan iedereen zich wel wat bij voorstellen. Maar nu uitleggen dat 60 procent van alle Nederlandse huisgezinnen in hetzelfde zinkende schuitje zit.

Hier komen de moderne communicatielijnen van de 21ste eeuw goed van pas. Het consumentenprogramma dat een kompas was gebleken voor de ruim 700.000 eigenaren van een leasecontract (Legio Lease) was zelf op het idee van deze nieuwe augiasstal gekomen na de benoeming van onderzoekscommissie-De Ruiter en een begrijpelijk verhaal in *De Financiële Telegraaf*. 'Na een oproep via ons telefoonpanel en een notitie op onze website kwamen de mensen met hun lamentabele inboedel van lijfrentepolissen tot beleggingshypotheken tevoorschijn waarvan zo weinig was overgebleven bij de opbouw. Spaarpolissen bleken helemaal geen spaarpolissen. Al snel begrepen we hoe groot deze affaire was.' Veel groter dan Legio Lease, waar wél erg veel aandacht aan is besteed in de Nederlandse media. 'We hebben er sinds 6 november 2006 nog minstens 25 uitzendingen aan besteed en bijna altijd met kijkcijfers boven de 2 miljoen.'

Het hoogst scoorde het programma waarin de zogeheten Op Maat Hypotheken van de Rabobank door de mand vielen en met een doffe dreun op de bodem van de beerput bleven liggen: 2,3 miljoen kijkers. Hetzelfde scenario, de betreffende directeuren zwegen aanvankelijk in alle talen, reden voor de redactie nog maar eens een voorbeeldje te tonen van wat we dan maar netjes 'creatieve boekhouding" noemen. Uiteindelijk kwamen de heren dan schoorvoetend over de brug. Niets verkeerd gedaan, vanzelfsprekend, maar we zullen onze verantwoordelijkheid nemen. Uiteindelijk kwam er een schikking, op voorstel van *good old* Jan Wolter Wabeke, de ombudsman. 'Wat ons zo bleef verbazen,' zegt Palsma, 'is dat de affaire nauwelijks werd opgepikt behalve dan door *De Telegraaf.* Alle financiële redacteuren van Nederland vinden dit soort producten en praktijken blijkbaar normaal.'

Was het broodnijd, een bekend verschijnsel in de journalistiek: de concurrent geen primeur gunnen en als het echt niet anders kan dan zonder bronvermelding overgaan tot plagiaat, maar liever nog net doen alsof er niets aan de hand is? 'Het heeft heel lang geduurd voordat andere actualiteitenrubrieken hun vingers aan het onderwerp durfden te branden,' vertelt Palsma. 'Ik ben weleens bij collega's langs geweest van *Netwerk* of *Nova* om ze erop te wijzen dat er heel mooie lijntjes bestaan met de politiek. Die rol van de wetgevers en verantwoordelijke politici als Gerrit Zalm kwam pas boven water bij het faillissement van DSB. Ik denk eigenlijk dat niemand het wilde of kon geloven. Dat gebeurt pas, nu journalisten zelf worden geconfronteerd met de jaaroverzichten van hun beleggingsverzekeringen en met eigen ogen zien: verrek, er verdwijnt jaarlijks inderdaad 40 procent aan kosten.'

Je moet doorbijten, zegt Palsma. Je ziet het bij programma's gewijd aan de Wabekenorm, waarbij blijkt dat de 'zwaar bevochten' compensaties van de claimadvocaten niets voorstellen. De bij de eerste schikking met Delta Lloyd nog zo bewierookte advocaten zitten er nu een beetje bedremmeld bij. Van een overwinningsroes is in ieder geval geen sprake meer. Soms moet je het maar voor lief nemen dat een programma er op het eerste oog nogal saai uitziet. Vooral advocaten hebben de neiging zich te verstoppen achter een scherm van onbegrijpelijke woorden en cijfers. 'Het blijkt in de praktijk niet uit te maken of een onderwerp over woekerpolissen een beetje saai is. Tot onze verbazing en verrassing blijft iedereen kijken. De gemiddelde consument heeft heel goed door dat we met z'n allen bezig zijn te verdrinken in deze vollopende woekerpolder.'

Palsma heeft echt alle variaties voorbij zien komen. Woekerpolissen die op aanraden van een tussenpersoon werden omgezet in een nog duurdere woekerpolis (het liefst voor een periode van 40 of 50 jaar, weet u nog: premie maal duur maal provisiepercentage), de kerstboomconstructies van DSB, maar echt niet alleen DSB, met allerlei waardeloze verzekeringen op een hoop. 'We wisten aanvankelijk ook niet wat de angel was in het verhaal, namelijk de misleidende informatie. Er zijn zo veel consumenten die in goed vertrouwen van een traditioneel spaarproduct zijn overgestapt naar een originele woekerpolis en dat niet weten. Ze komen er pas achter als de polis gaat uitkeren. Die ellende komt allemaal nog.

Veel mensen denken dat de consumenten zelf schuldig zijn aan deze affaire. Dat ze de kleine letters niet goed hebben gelezen of dat ze hebberig waren. Zelfs ombudsman Wabeke roept nog dat Nederlanders in financieel opzicht moeten worden opgevoed. Maar dan vraag ik me af of niet degenen die al deze producten verzonnen hebben opnieuw moeten worden opgevoed. Dáár begint volgens mij het probleem. Als Mercedes Benz een nieuw model ontwikkelt waarvan de airbag niet blijkt te werken, wordt ieder exemplaar teruggeroepen naar de fabriek. En nu zeggen de bedenkers van een financieel product dat ze de consequenties niet goed hebben overzien en schuiven de schuld in de schoenen van het beurs-klimaat. Nou, het is graaien van het zuiverste water. De consument heeft in goed vertrouwen zijn portemonnee op tafel gelegd waaruit om de beurt wordt gegraaid.'

Het is waar, zo heeft *Tros Radar* mogen ondervinden: de macht van de media reikt verder dan die van de machtigste toezichthouder. Daar is geen marketingmachine tegen bestand. Voordat de redactie met harde conclusies komt, is er een batterij aan specialisten ('mensen die in het duister willen blijven') aan te pas gekomen om de rekensommetjes nog eens te controleren. Ja, en na een uitzending willen de betreffende 'zondaren' meestal wel komen praten. Eerst proberen ze op een andere manier het tij te keren. 'Kunnen we geen vriendjes worden? Dat vragen ze natuurlijk niet letterlijk, maar je merkt het aan alles wat ze zeggen. Wij zeggen altijd hetzelfde: de enige tafel waaraan u uw verhaal kunt doen is de tafel van de uitzending. En natuurlijk nemen we vooraf de vragen met u door.'

Nu zo langzamerhand iedereen vuile handen blijkt te hebben, en zelfs aan de intenties van de claimstichtingen wordt getwijfeld, zie je de verzekeraars zich steeds meer verschuilen achter een muur van stilzwijgen. 'Wie dan altijd naar voren wordt geschoven in deze woekerpolder, is de algemeen directeur en woordvoerder van het Verbond van Verzekeraars, meneer Richard Weurding. Die is altijd bereid te komen. Dat in tegenstelling tot de politiek verantwoordelijke mensen. Hoe vaak we Zalm of Bos niet hebben gevraagd. Hun woordvoerders roepen steeds hetzelfde: we kennen het probleem en er wordt aan gewerkt.'

En meneer Hoogervorst, de nieuwe verantwoordelijke uitvoerder van de AFM, wil eventueel ook wel wat zeggen, maar niet wat *Tros Radar* graag wil horen. 'In het laatste rapport van de AFM over beleggingsverzekeringen komt niet één keer het woord "woekerpolis" voor. Dat zegt genoeg. Het Verbond van Verzekeraars probeert nog steeds de affaire te bagatelliseren. En dan wordt ten einde raad meneer Weurding weer naar voren geschoven. Ga jij maar, doe jij het woord maar. Het ergste van alles? Dat nog nooit het woord "sorry" is uitgesproken. Nog nooit.'

Rob Ockhuizen, persattaché van de claimstichting Verliespolis, kan precies vertellen vanaf welk moment de woekerpolisaffaire meer tot de verbeelding begon te spreken. Jan Wolter Wabeke gaf onbedoeld het sein waarmee hij de diep slapende honden wakker maakte. 'Nadat hij met zijn aanbeveling kwam sprongen de media op het onderwerp. Alleen de Tros en *De Telegraaf* waren tot dat moment aanhoudend geweest, maar nu volgden ook schoorvoetend andere journalisten. Je hebt altijd een momentum nodig. Desnoods moet je er zelf één creëren. Rond die 25ste maart 2008 begonnen de aanmeldingen binnen te stromen op de website van Verliespolis.'

Les één voor iedere communicatiedeskundige: zorg dat de journalistiek niet meer om je heen kan. Het geldt voor alle vormen van journalistiek, van roddelbladen tot *Vrij Nederland*. Ockhuizen kent als persvoorlichter het klappen van de zweep. Een aantal jaar geleden stond hij aan de andere kant van de scheidslijn tussen goed en fout. Hij moest toen namens Dexia recht praten wat krom was. Zo ziet de communicatiedeskundige het natuurlijk niet zelf, maar hij weet dus precies hoe je complexe affaires moet 'verkopen' en als het even kan ervoor zorgen dat ze 'een gezicht krijgen'.

Wabeke was een gezicht. En dat gold ook voor die meneer van Nationale-Nederlanden die zo vriendelijk was om Antoinette Hertsenberg te vertellen dat hij 'zijn' producten ook aan zijn moeder zou durven verkopen.

Verliespolis, belangenbehartiger nummer één met ruim 100.000 aangesloten leden, 'geruggensteund' door VEH (Vereniging Eigen Huis) en veb (Vereniging van Effectenbezitters), vindt dat het afgelopen moet zijn met de oprichting van talloze stichtingen die 'sinds dsb' te zien is geweest. Alleen al de val van Scheringa leidde tot het recordaantal van zestien organisaties ter behartiging van de specifieke consumentenbelangen. De stormloop van belangenbehartigers zal minder te maken hebben met pure liefdadigheid dan de uitstraling van 'het wonder van Wognum'. Beter 'smoel' kun je niet wensen bij de dans om het gouden kalf: aandacht van de pers. Daarbij vergeleken hebben de Haagse voorvechters van Verliespolis het heel wat moeilijker gehad om hun probleem op de kaart te krijgen, zegt Ockhuizen.

'We hebben de verzekeraars echt uit hun tent moeten lokken. Die schoven steeds dezelfde woordvoerder naar voren. Ze wezen ook allemaal naar elkaar, zonder dat uiteraard hardop in het bijzijn van de concurrenten te zeggen. Journalisten werden dan uitgenodigd met als voorwaarde dat er wel een mooie foto van de betreffende goede verzekeraar bij het verhaal zou komen. Ze waren heel erg goed in het elkaar toespelen van de zwartepiet. Niets werd geschuwd om de eigen reputatie te redden.'

Het was ook even wennen voor de mannen in driedelig maatkostuum dat het onderwerp verzekeren (slaap kindje slaap) plotseling populair was geworden. Niet alleen had je wakkere consumentenprogramma's, maar ook beschikte iedere zichzelf serieus noemende krant over rubrieken voor de mondige en onmondige klant. 'En daarbij buitelden bovendien,' zegt Ockhuizen, 'de financiële schandalen over elkaar heen. Enron, Lehman Brothers, abn Amro, Ahold, dsb, de instortende piramide van Bernie Madoff, de Vastgoedfraude, enzovoort. Om je vingers bij af te likken. De financiële wereld was opeens een hot item.' Mooier kan het niet: al die graaiende heren in maatkostuum nu plotseling in het streepjespak van gevangenisboeven. Een sprookje waarin alle boze wolven van de hele wereld werden ontmaskerd en Rood Kapje in victorie werd rondgereden.

Beetje kinnesinne komt daar ook bij om de hoek kijken, eerlijk is eerlijk. De graaiers stonden in hun blote kont, de koningen van het grote geld zaten op de strontkar en de kleine man keek verlekkerd toe. 'In een vrij recent verleden stonden de duurste adviseurs en de machteloze consument tegenover elkaar, de laatste altijd in de rol van underdog. Dankzij ons en programma's als *Radar* en *Kassa!* is het machtsevenwicht zich aan het herstellen. Het heeft geleid tot zeg maar een goed antwoord op de theorie van de vrije markt die volgens de econoom Milton Friedman niet vrij genoeg kan zijn. De maatschappij is steeds activistischer geworden. Gebruikmaking van moderne communicatiemiddelen als internet heeft daartoe bijgedragen. De calculerende consument kan zich op eenvoudige wijze verdedigen, namelijk door een druk op de knop van een computer. Op vrij anonieme wijze sluit je je aan bij een club van belangenbehartigers.'

De affaire is nog lang niet ten einde, zegt Ockhuizen. Hij verzet zich tegen de stelling dat zijn stichting tekort is geschoten bij de onderhandelingen en zich heeft laten trakteren op een klapsigaar. 'We hebben echt keihard moeten knokken voor de compensaties tot dusver. Een schikking van totaal ruim twee miljard – dat is nog nooit eerder vertoond op het Europese vasteland. We hebben tot diep in de nacht lopen duwen en trekken. Ik ken de partijen vrij goed van binnenuit, vergis je niet: ze kunnen niet al te veel hebben op dit moment. Van tevoren hebben we ons ook afgevraagd: zullen we de verzekeringssector omver trekken? Nee, dat willen we niet. Daar heeft niemand belang bij, want dan betalen wij, de belastingbetalers, zelf de rekening. Niemand kan 10 miljard ophoesten, ook al hebben de verzekeraars hun klanten wel degelijk massaal een poot uitgedraaid.'

Achmea is nog steeds niet over de brug, althans niet naar de wensen van Verliespolis en Woekerpolis Claim. Vergeet de rol van de tussenpersonen niet die vaak verkeerde adviezen hebben gegeven, en meestal uit opportunistische overwegingen. Die keken alleen maar naar de hoogte van hun provisie. 'Hoe spreek je deze tussenpersoon aan, want dan heb je te maken met duizenden partijen en moet je per dossier laten zien wat er verkeerd is gegaan. Maar je wordt ook geconfronteerd met heel grote partijen als Meeùs, de Hypotheker, Hypotheekshop, ABN Amro en Rabobank, want dat zijn ook allemaal tussenpersonen. Het is een moeras dat we nog niet goed in kaart hebben gebracht.'

Achteraf is het gemakkelijk concluderen dat verzekeren en beleggen nooit samen in één bed hadden mogen belanden. Waanzin. 'En dat nog fiscaal aantrekkelijk maken ook!' Volgens Ockhuizen staat nu de vraag voorop hoe je dit kankergezwel uit de maatschappij snijdt. 'Eén ding is zeker: er is een grote schoonmaak bezig. Maar de meeste consumenten staan nog aan de zijlijn. Die wachten af hoe het gevecht verder verloopt en incasseren straks de compensatie, zoals dat ook gebeurd is bij Ahold en Unilever. Anderen halen de kastanjes uit het vuur.'

Zou het waar zijn, wat financieel deskundige Ab Flipse beweert, dat sommige kranten, immers afhankelijk van advertentie-inkomsten, de affaire links laten liggen uit opportunistische overwegingen? Geen grote bank of verzekeraar immers die de handen in onschuld kan wassen en allemaal zijn het adverteerders. Palsma van *Tros Radar* ziet de dunne draden waarmee de verschillende financiële diensten met elkaar in verbinding staan. Prachtig dat hij ze kan helpen doorknippen ('Ik heb na de val van de Muur even gedacht dat we heilig zouden gaan geloven in het pure kapitalisme'), want pas op: zijn redactie is nog lang niet klaar.

'Het mooie bij ons is, en ik meen het oprecht, dat de neuzen allemaal dezelfde kant opwijzen. Niet links of rechts, maar rechtuit. De verzekeraars vinden nog steeds dat er niets aan de hand is. Zij durven nog steeds te spreken van een "verdienmodel". Hoe kunnen we anders ons geld verdienen? Het is heel lastig om volledig onafhankelijk te zijn in de wereld van het geld. Je ziet hier ook weer sterk het polderen waarmee Nederland groot is geworden. Van deze hele grote affaire met miljoenen vrijwel waardeloze polissen wordt een woekerpolder gemaakt. Daar heb je dijkgraven nodig, tevreden met een compromis. Ik beschouw zelfs de claimstichtingen achteraf als dijkgraven.'

21 Vraagbaak

Gefeliciteerd, u bent na het lezen van de vorige twintig hoofdstukken deskundige op het gebied van woekerpolissen en zal u nooit meer door 'mannetjes' laten afschepen met financiële producten die alleen maar nuttig zijn voor de 'mannetjes' zelf met hun mooie kostuum en dito praatjes. Niet schuldig voelen en calculerend tot actie overgaan. Laten de verzekeraars maar zelf fijn gaan spelen met hun 'speeltjes van actuarissen en econometristen'. Zoek steun aan de hand van antwoorden op twaalf belangrijke vragen.

Hoe herkent u een woekerpolis?

Het is vrij eenvoudig: indien u een verzekeringsproduct hebt aangeschaft in de periode tussen 1985 en 2008 dat gekoppeld is aan beleggingen, hebt u er vrijwel zeker één. Uw verzekeraar is sinds 2008 verplicht een jaaroverzicht te sturen met de gespecificeerde kosten. Kijk ook goed wat u betaalt voor premie van overlijdensrisico. De marktconforme bedragen (die behoren bij uw leeftijd) kunt u gemakkelijk terugvinden op een website als die van Independer. Sinds 'Wabeke' en de afspraken van de claimstichtingen Verliespolis en Woekerpolis Claim mag er nooit sprake zijn van een 'oneigenlijke' opslag hoger dan 16 procent. Met zijn laatste aanbeveling acht Wabeke van het Kifid een kostenonttrekking van omstreeks 40 procent van uw inleg redelijk, op jaarbasis en exclusief premie overlijdensrisico. Het is de vraag of u dat ook redelijk moet vinden. Overigens zijn de traditionele producten (met garantiekapitaal) ook erg duur. U mag in veel gevallen blij zijn met een nettorendement van 2 of 3 procent over de gehele looptijd. Misschien toch aanleiding deze polissen (waarvan er vele miljoenen in omloop zijn zonder signalement van 'woekerjasje'), nu we toch bezig zijn met de grote schoonmaak, door een onafhankelijk adviseur te laten doorlichten.

Is het beter om uw besmette polis af te kopen?

Dat hangt er sterk van af. Gaat het om relatief kleine bedragen en bent u nog maar net begonnen aan de rit naar het niets, koop dan de polis af en neem uw verlies. Beter dan nog twintig jaar of langer uw geld storten in een bodemloze put. Leuk om daarbij te weten is dat uw tussenpersoon zijn provisie (deels) moet terugbetalen. Ga zelf met het bedrag bestemd voor de premie beleggen of sparen (internetspaarrekening). Volg eventueel een cursus beleggen.

Bent u bijna zover dat uw polis gaat uitkeren, blijf dan zitten waar u zit. Eigenlijk komt het ook neer op uw verlies nemen, want de meeste fondsen zijn sinds 2008 sterk in waarde gedaald. Stel dat u nog drie jaar 'moet', dan is het misschien aan te raden over een jaar of zo (ervan uitgaande dat het wat beter gaat met de beurzen) te switchen naar een veiliger belegging, bijvoorbeeld in de vorm van een rentefonds.

Nog een ander alternatief is uw polis premievrij maken, maar daarbij lopen kosten vaak nog gewoon door, en loopt uw 'goudmijntje' dus leeg. Vraag voordat u besluit wel altijd bij uw verzekeraar een offerte aan van de afkoopwaarde, want daar wil uw dienstverlener ook weer graag onverantwoordelijk veel aan verdienen.

Maak altijd een schriftelijk voorbehoud voor eventuele rechten op compensatie, wanneer u besluit tot afkoop. Anders is het risico groot dat u die ook misloopt.

*Welke maatschappijen hebben een woekerpolisakkoord ge-
sloten met de claimstichtingen, en moet u het voorstel van de
verzekeraar altijd accepteren?*
Zoals de stichting Koersplandewegkwijt al heeft bewezen,
hoeft u niet akkoord te gaan met de voorstellen ter compensatie, die dus alleen maar gaan tegenvallen. Bij grote polissen
verdient het sowieso aanbeveling om juridisch advies in te
winnen. De verzekeraars die met goedkeuring van de claimstichtingen een akkoord hebben bereikt, zijn:

- Delta Lloyd (Delta Lloyd Levensverzekeringen, Ohra Le-
  vensverzekeringen, Erasmus Levensverzekeringen en Na-
  tionaal Spaarfonds);
- ASR Nederland (De Amersfoortse, Falcon, Interlloyd Leven,
  VSB Leven en ASR Verzekeringen, waaronder 'rechtsvoorgan-
  gers' als Fortis ASR, Amev, Stad Rotterdam en Woudsend);
- Nationale-Nederlanden (ook Postbank Verzekeringen en
  RVS);
- SNS Reaal (SNS Bank, Reaal Levensverzekeringen, Proteq,
  Zwitserleven en DBV als ook rechtsvoorgangers zoals Axa
  Nederland, Alico, Elvia, Zurich, UAP, Hooge Huys en Win-
  terthur;
- Aegon.

Wat doet u in elk geval met een woekerpolis in de kluis?
Stuur een stuitingbrief, waarvan hierna een voorbeeld volgt,
naar uw verzekeraar. Nogmaals: het gaat hier niet om auto-
verzekeringen of begrafenispolissen maar zuiver om beleggen en verzekeren op één kussen. Misschien hoort u pas aan
het einde van het jaar, of mogelijkerwijs pas in 2011 welke
compensatie uw maatschappij voor u in petto heeft. Reken
op weinig tot niets. Misschien kunt u er een keer boodschap-
pen van doen bij de Aldi of zit er een lang weekeinde Texel in,
meer doorgaans niet.

Maar bent u van plan toch te gaan procederen, dan moet u de zogeheten 'verjaring' van uw klacht vóór zijn. Zoals eerder beschreven, bestaat de kans dat de rechters zeggen dat 'iedere gemiddelde Nederlander' ongeveer halverwege 2007 wel op de hoogte moest zijn van het bestaan van deze vrijwel waardeloze verzekeringsproducten. En na drie jaar zullen verzekeraar en rechter in koor roepen: opgestaan, plaats vergaan!

Maar hoeveel kost dat niet: procederen?

Dat ligt eraan. Consumentenclaim (zie hierna onder: 'Adressen') pretendeert te werken op basis van no cure, no pay. Het betekent dat u niets hoeft te betalen (of heel weinig, zie daarvoor ook de betreffende website) als er in uw geval niets te halen valt bij een rechtbank. Gerenommeerde advocatenkantoren als dat van Hendrik Jan Bos zullen gepeperde rekeningen sturen, afhankelijk van welke advocaat u zal bijstaan. Zeker bij grote polissen van 70.000 euro of meer is het beslist de moeite van het bestuderen waard. Geheimhouding is verplicht bij de meeste schikkingen op dit niveau, maar er zijn al grote successen geboekt. Informeer eventueel bij de vereniging Consument & Geldzaken of er misschien bij u in de buurt andere advocaten werkzaam zijn die gespecialiseerd zijn in beleggingen. Die service geldt voor leden van deze vereniging.

Wat doet u met een woekerpolis die is afgesloten ten behoeve van de aflossing van de hypotheek?

Hier moet u extra goed opletten. U weet dat het fiscale voordeel om hypotheekrente te kunnen aftrekken geldt voor maximaal dertig jaar. Wanneer u in het bezit bent van een woekerpolis die bedoeld is om uw schuld te zijner tijd af te lossen, zit u eigenlijk met een dubbel probleem. De rente over de hoofdsom is na dertig jaar niet meer aftrekbaar en komt geheel voor eigen rekening. Daarnaast zal het bedrag uit de woekerpolis behoorlijk of heel erg tegenvallen. Als u dan ook nog blijkt te beschikken over een zogeheten BPR-pensioen (zie hoofdstuk 16) komt u in een driedubbel hevig financiële storm terecht. Spoed u zo snel uw benen u dragen kunnen naar een onafhankelijk financieel adviseur!

Wat doe ik met de adviseurs die zeggen dat zij kunnen 'ontwoekeren'?

Allereerst kijkt u of de betreffende intermediair is aangesloten bij de vakvereniging, waar u ook informatie kunt inwinnen (zie hierna bij: 'Adressen'). U moet in elk geval niet de fout maken een foute polis opnieuw om te zetten in een langlopend contract, want daarmee spint de tussenpersoon alleen maar garen. Hoe langer een contract loopt, hoe meer een adviseur aan u kan verdienen. En hoe minder u zelf overhoudt om te beleggen. U kunt ook al meteen een deskundige zoeken die moet worden betaald op uurtarief. Dus: niets provisies, maar u betaalt twee of drie uur voor zijn of haar expertise. Eigenlijk de allerbeste methode en volgens veel experts de methode van de toekomst. Alleen moet er nog een goede oplossing worden gevonden voor de 'verkoop' van relatief goedkope schadepolissen als die van aansprakelijkheid en opstal. Misschien is internet hier de beste oplossing, dus digitale verkoop. Zie ook de relevante adressen. Vraag wel om een goede specificatie, zodat het niet kan gebeuren dat een 'onafhankelijke ontwoekeraar' uw portemonnee aanspreekt én die van de verzekeraar (en zo via een omweg nog een keer uw rekening).

Kan ik niemand meer vertrouwen waar het 'dure' constructies betreft als hypotheken en een 'gouden handdruk' bij het

beëindigen van een arbeidscontract?

U moet altijd bedenken dat alleen types als moeder Teresa uit liefde gratis voor u in actie komen. Deskundigen mogen ook verdienen aan hun expertise, alleen moeten ze de boel niet flessen. Tussenpersonen moeten vanaf 1 januari 2010 precies vertellen wat ze aan u verdienen en voor welke producten. Het blijft een vreemd gat in de nieuwe aangescherpte wetgeving dat een bank nog steeds ontsnapt aan die regel. Misschien wel een extra reden om echt op zoek te gaan naar een onafhankelijk financieel expert. U kunt in elk geval heel gemakkelijk vergelijken door eens een paar uur op internet sites te bestuderen, of door offertes aan te vragen. Iedere jonge dertiger zou trouwens sowieso eens een dag moeten uittrekken, en daarvoor betalen, om de financiële huishouding piekfijn in orde te maken voor de rest van zijn leven, en bijvoorbeeld zijn pensioen en de gehele verzekeringsportefeuille laten doorlichten. Als het goed is (en als de onafhankelijke adviseurs goed zijn), blijven woekerpolissen voor u een ver-van-mijn-bedshow. Dat laatste alleen al is vaak veel meer dan duizend euro waard.

Is het betrouwbaar om zonder tussenpersonen verzekeringen af te sluiten op internet?

Met de ervaringen van de woekerpolissen, de enorme kosten die daarbij opgingen aan provisies voor de tussenpersonen én de onstuitbare groei van internethandel is verzekeringen afsluiten via internet een bijna niet te keren ontwikkeling. Je hebt de zogeheten *direct writers*, zoals Loyalis, en sedert kort de prijsvechter Brand New Day, de easyJet onder de verzekeraars. Eigenlijk hebben veel tussenpersonen en verzekeraars erom gevraagd. Ook hier weer is het noodzakelijk om tijd te stoppen in de aankoop van een financieel product dat zo belangrijk kan zijn voor uw toekomst, zonder ellendige afloop zoals bij de miljoenen woekerpolissen. Maar wees eerlijk:

voor een leuke nieuwe keuken trekt u toch ook rustig een halve dag uit? Ook hier zijn sites als Independer onbetaalbaar.

Wat zijn gemiddelde tarieven voor financieel advies?

Als u abonnee bent van bijvoorbeeld *FiscAlert* kunt u voor 130 euro per uur terecht. Grote consumentenorganisaties zoals de Consumentenbond, Vereniging Eigen Huis, Consument & Geldzaken en de Vereniging van Effectenbezitters beschikken voor leden ook vaak over specialisten die tegen speciale tarieven onafhankelijk advies geven. Als u toch via een tussenpersoon zaken wilt doen, houd dan rekening met de volgende gemiddelde afsluitprovisies en ga er daarbij van uit dat er altijd ruimte is om te onderhandelen:

- Kapitaal- en lijfrenteverzekeringen: 4 procent x premie x duur plus 2 procent doorlopende provisie;
- Koopsompolissen (lijfrente of gouden handdruk): 4-7 procent van de koopsom;
- Overlijdensrisicoverzekeringen: 170 procent x eerste jaarpremie + 5 procent doorlopend na twee of drie jaar;
- Arbeidsongeschiktheidsverzekeringen tegen koopsom (woonlastbeschermers): 15 tot 40 procent van de koopsom;
- Hypotheek aflossingsvrij: 0,5 tot 1 procent;
- Spaarhypotheek: 1,5 tot 2,35 procent;
- Effectenhypotheek: 2 tot 2,5 procent;
- Hypotheek op basis van beleggingsverzekering: a. als de constructie als één product wordt aangemerkt: 2 tot 2,5 procent; b. in combinatie van twee losse producten: 0,5 tot 1 procent plus provisie over kapitaalverzekering.

(Bron: MoneyView, maart 2010)

Moeten we oppassen voor een woekerpensioen?

Dat is wel geraden, ja. Pensioenen worden er niet goedkoper op, en bedrijven kunnen veel besparen door hun dure middelloon-regelingen (pensioen gebaseerd op het gemiddelde loon dat u gedurende die tijd bij uw baas verdiende) om te zetten in de zogeheten Betaalde Premie Regeling (BPR). Dat kan een collectieve voorziening zijn, waaraan de tussenpersoon meer verdient dan u lief zal zijn. Maar u bent nu wel zelf geheel verantwoordelijk voor dat meestal peperdure product. Ook hier zijn de verzekeraars tegenwoordig verplicht jaaropgaven te verstrekken met opgebouwde waarde en betaalde premie. Als het verschil groter is dan 20 procent is er grote kans dat u in het bezit bent van een woekerpensioen. De polisbezitter, meestal uw baas, zal uit de luie stoel moeten komen om actie te ondernemen. Zie hiervoor ook de aanbevelingen in het betreffende hoofdstuk 16.

Zijn er nog algemene financiële regels die iedere Nederlander zou moeten weten?

Allereerst de regel om toch maar eens op te houden met struis-vogelpolitiek bedrijven waar het verzekeringen en bankproducten betreft. Deze twee geldfabrieken hebben de afgelopen decennia handig gebruikgemaakt van dit 'analfabetisme' en daar zijn heel wat dikke, vette bonussen mee uitbetaald. Wat dat betreft heeft ombudsman Wabeke misschien wel een beetje gelijk door te stellen dat het de hoogste tijd is voor de (her)opvoeding van Nederlanders op het gebied van financiën. Waarom niet het vak 'huishoudboekhouding' op de scholen?

Ook een must om te weten: hoe hoger het beloofde rendement, hoe groter het risico. Geloof adviseurs niet die iets anders beweren. Breng nooit meer dan maximaal 40.000 euro onder op een spaarrekening van één bank. De kapitaalgarantie van De Nederlandsche Bank (nu nog een ton) wordt op termijn verlaagd naar deze limiet. Bij onverhoopte faillissementen bent u verzekerd van de veertig mille.

Een beetje verstand van beleggen kan daarbij sowieso geen

kwaad, ook in de wetenschap dat de Inspecteur der Belastingen er als de kippen bij is mee te snoepen van uw opgebouwde vermogen: 1,2 procent op jaarbasis. Voeg daarbij het gemiddelde van 2 procent inflatie, en u bent eigenlijk wel verplicht om rendementen te 'zoeken' van meer dan 3,2 procent op jaarbasis om uw geld niet in het water te gooien. Eén les moet wel heel duidelijk zijn: doe nooit aan beleggen en verzekeren samen. Die combinatie is des duivels oorkussen gebleken. Het imago van de verzekeraars is naar de knoppen door op korte termijn schatrijk te willen worden. Hun aandeelhouders zullen daar uiteindelijk ook de prijs voor moeten betalen. Denken op korte termijn is altijd heel erg dom, behalve dan voor echte oplichters.

Voorbeeld stuitingbrief

Aantekenen met bericht van ontvangst

[NAAM VERZEKERAAR]
T.a.v. de directie
[ADRES VERZEKERAAR]

[WOONPLAATS], [DATUM]

Betreft: relatienummer: ....

Geachte heer, mevrouw,

Ik heb bij uw maatschappij één of meerdere beleggingsverzekering(en) afgesloten. Het betreft hier (onder andere) de verzekeringen met de volgende polisnummers:

....

....

Ik heb begrepen dat het rendement dat men redelijkerwijs op deze beleggingsverzekeringen zou verwachten wellicht niet zal worden behaald. Uit berichten in de media blijkt dat er twee mogelijke (mede)oorzaken zijn voor deze tegenvallende resultaten.

1. Uw maatschappij heeft onredelijk hoge (administratie)kosten in rekening gebracht.

2. Ter afdekking van het overlijdensrisico heeft uw maatschappij premies gehanteerd die niet marktconform waren en zijn.

Ik stel uw maatschappij uitdrukkelijk aansprakelijk voor de schade, te vermeerderen met de wettelijke rente, die ik lijd en mogelijk nog zal lijden als gevolg van bovenvermeld handelen voor zover van een dergelijk handelen sprake is.

U dient deze brief ook te beschouwen als een stuiting van de verjaring van mijn (mogelijke) rechtsvorderingen op uw maatschappij als bedoeld in artikel 3:317 BW.

Hoogachtend,

[HANDTEKENING]

[Naam en adres polishouder]

Adressen

Stichtingen en verenigingen van belangenbehartigers gedupeerden
www.verliespolis.nl
www.woekerpolisclaim.nl
www.beleggingspolisclaim.nl (Vereniging Consument & Geldzaken, telefoon: 079-3229958)
www.platformaandelenlease.nl (vooral bestemd voor de zogeheten leasecontracten)
www.pay-back.nl (idem)
www.foppolis.nl (René Graafsma)

Juridische steun
www.consumentenclaim.nl (no cure, no pay)
www.bos-partners.nl

Financieel advies
www.fpoint.nl (Ab Flipse, telefoon: 0320-212242)
www.capitalconsult.nl (o.a. Kapé Breukelaar)
www.getsmart.nl (Get Smart Consultancy, o.a. onafhankelijk pensioenadvies)
www.loyalis.nl (aanvullingen pensioen, lijfrentes, enzovoort)
Noordnederlands Effectenkantoor BV: 050-3171800
www.nnek.nl
www.pensum.nl (pensioenadvies)
www.independer.nl

'Ontwoekeren' (o.a.)
www.brandnewday.nl

www.vitreusfd.nl (vaste tarieven voor financieel advies, telefoon: 0517469290) met kantoren in Apeldoorn, Assendelft
en Sneek. Zie ook: www.deWoekerpolisCheck.nl
www.ontwoekeren.nl (*Jij & Wij*): 020-6714040

Algemeen

Consumentenbond: 070-4454545, www.consumenten-
bond.nl
Vereniging van Tussenpersonen: 020-3057732, www.vnt.org
Verbond van Verzekeraars: 070-3338500,
www.verzekeraars.nl
Vereniging Eigen Huis: 033-4507750, www.eigenhuis.nl
Tros Radar: www.trosradar.nl
FiscAlert: www.fiscalert.nl (telefoon abonneeservice: 0900-
3472253)
Klachten Instituut Financiële Diensten (Kifid): 0900-
3552248 (10 cent per minuut), www.kifid.nl
Vereniging van Effectenbezitters (VEB): 070-3130000 (voor
leden), www.VEB.net
Autoriteit Financiële Markten (AFM) 0900-5400540 (5 cent
per minuut), www.afm.nl
De Nederlandsche Bank (DNB) 0900-5200520 (35 cent per
minuut). Adres: Afdeling Consumentenzaken, Postbus
98, 1000 AB Amsterdam
Belastingdienst: 0800-0543, www.belastingdienst.nl

*Deze lijst, waaraan geen rechten kunnen worden ontleend, is
niet compleet en betreft onder meer specialisten die hebben
meegewerkt aan dit boek.*

Verklarende woordenlijst

Actuaris wiskundig adviseur

AFM Autoriteit Financiële Markten

BKR Bureau Krediet Registratie

BPR Beschikbare Premie Regeling (bij pensioenen)

Calloptie geeft recht bepaalde onderliggende waarde binnen een gedefinieerde periode te kopen tegen tevoren vastgestelde prijs

Econometrist wiskundig econoom

Effectenhypotheek hypotheek met extra geld voor effectenportefeuille

Execution only alle risico ligt bij klant, aanbieder heeft geen zorgplicht

Garantieproduct polis met gegarandeerd eindkapitaal

GIDI Gedragscode Informatieverstrekking Dienstverlening Intermediair

Huisfondsen beleggingsfondsen beheerd door aanbieder van uw product

IFO Instituut Financieel Onderzoek

Inflation linked rekening houdend en fluctuerend met inflatie

Kifid Klachteninstituut Financiële Diensten

Koopsompolis lijfrenteverzekering waarvan premie geheel of gedeeltelijk aftrekbaar is voor inkomstenbelasting

Leaseproducten hier belegt u met geleend geld waarvoor u rente betaalt

Lijfrenteverzekering verzekering voor periodieke vaste uitkering gedurende iemands leven of dat van een ander

Middelloonregeling pensioen, gebaseerd op het gemiddelde loon dat u gedurende uw dienstverband verdiende

Mixfonds fonds dat in verschillende producten belegt zoals aandelen en obligaties

Putoptie geeft recht om een onderliggende waarde tegen een van tevoren afgesproken koers te verkopen

Rentabiliteit in procenten uitgedrukte winst over het gebruikte kapitaal

Spaarhypotheek hypotheek met een spaarverzekering

Spaarloonregeling mogelijkheid waarbij werknemer belastingvrij spaart over brutoloon, maximaal 613 euro per jaar

Sterftetafel statistische beschrijving van sterftekans en levensverwachting

Systeembank bank die bij faillissement potentie heeft economie ernstige schade toe te brengen

Units beleggingseenheden

Wabekenorm maatstaf, genoemd naar ombudsman Kifid om kosten verzekeraar te maximaliseren

Woonlastenbeschermers verzekeringen voor arbeidsongeschiktheid of werkeloosheid

Epiloog

Krijgt de grote baas van het verzekeringsbedrijf die ik mocht spreken gelijk, en vormden de woelerpolissen een storm in een glas water die al is gaan liggen? Is het echt waar, zoals de hoge ministeriële ambtenaar mij in vertrouwen vertelde, dat de manier waarop de beleggingsverzekeringen werden 'dichtgetimmerd' eigenlijk meer een kwestie is van 'slim'? Of krijgen hoogleraren als Arnoud Boot en Cees Sterks gelijk met hun beweringen dat hier sprake is geweest van leugens en bedrog, waardoor de Nederlandse consument vele miljarden uit de zakken is geklopt?

Vooralsnog lijken de eerste 'compensatiebrieven', afgelopen maanden door voortrekker Delta Lloyd verstuurd, niet te leiden tot een massale leegloop. Maar volgens dezelfde betrouwbare bronnen is de paniek bij het Verbond van Verzekeraars groot na een uitzending van *Tros Radar* waarin werd aangetoond dat de norm voor de compensatie neerkomt op blijvende kosteninhoudingen van ongeveer 40 procent op de premie. Dus nog steeds: woekeren. De AFM zou al rekening houden met nieuwe schikkingen, hetgeen vanzelfsprekend betekent dat Delta Lloyd en de andere grote verzekeraars opnieuw aan de onderhandelingstafel worden gedaagd. Het dossier is in elk geval nog niet gesloten.

Aegon, dat volgens diverse insiders het leven gebeterd heeft en met eerlijker producten schoon schip wil maken, begon in 2008 met een advertentiecampagne onder de titel 'Eerlijk over reclame'. Die leidde tot ongekend boze reacties op internetsites zoals: 'Boeventuig' en 'Gooi je geld liever in de

Maas'. In *Het Financieele Dagblad* zegt communicatiedirecteur Driessen: 'We hebben niets tegen de wet gedaan, maar de beloften van gouden bergen zijn niet waargemaakt. Onze medewerkers zeggen dat het met de beste bedoelingen is bedacht. We herschrijven het verleden niet, maar we moeten wel door. We hebben onze verantwoordelijkheid genomen en klanten schadeloos gesteld. We durven het nu wel aan.' Zal de multinational er echt zo gemakkelijk vanaf komen: mooie woorden, en een dure advertentiecampagne?

De tactiek van een zogenaamde compensatieregeling (gaat u maar rustig slapen) lijkt niet goed te werken, zoals dat wel gebeurde bij het vorige verzekeringsschandaal met Dexia in de hoofdrol. En waarbij de vertrouwenwekkende grijze krullenbol van wijlen Wim Duisenberg als bliksemafleider mocht dienen. De regeling die zijn naam kreeg, moet achteraf immers ook als een fooi worden beschouwd, waarbij de bedrogen consument er 5 of 6 miljard bij in is geschoten. Bij nader inzien.

Zullen de rechters bij eventuele claims weer de compensatienorm (nu met de naam van Wabeke) nemen als uitgangspunt bij hun vonnissen? Dan, zo mag je nu al concluderen, hebben de twee anonieme zegslieden uit de eerste alinea gelijk. Recht en rechtvaardigheid gaan nu eenmaal niet altijd hand in hand.

Ik heb mij tijdens het schrijven vaak afgevraagd wat nu eigenlijk het verschil is tussen mijn vader, die op overtuigende wijze dingen kon verkopen die er in werkelijkheid niet waren of die hij veel mooier (en duurder) voorstelde dan ze waren, en de 'uitvinders' van deze verzekeringsluchtkastelen. Mijn verwekker zaliger werd dankzij zijn 'babbeltrucs' aangeklaagd door de Staat der Nederlanden en opgezadeld met een strafblad. Zijn grootste successen boekte hij met zijn gitzwarte haardos dik in de brillantine gestoken in driedelig kostuum. Is wat de verzekeraars op grote schaal hebben gedaan, willens en wetens dingen veel mooier voorstellen dan ze in werkelijkheid ooit konden zijn, dan alleen maar 'slim'?

Wie weet neemt de politiek geen genoegen met de tactiek die de zondaren tot dusver met veel succes volgen: uitstellen, afhouden en de consument bedelven onder een berg van papier. Geen of zo weinig mogelijk relevante informatie geven. Misschien gaat toezichthouder AFM nu echt bijten in plaats van kwispelend blaffen en boetes uitdelen die een ondeugende burger ook krijgt bij door rood licht rijden. Moet er een massale volksopstand komen, waartoe sommige criticasters hebben opgeroepen en 'een heel stel verantwoordelijken' letterlijk het land wordt uitgejaagd?

Hopelijk heb ik met dit boek bereikt dat de consument zich bezint voordat hij of zij begint aan een contract op financieel gebied. En laat dit boek een stimulans zijn voor verzekeraars om weer te gaan doen wat ze deden in de tijd van 'meneer De Boer': echt verzekeren ('vertrouwen verkopen'), voor een toekomst die al ongewis genoeg is, ook zonder woekerpolissen.

Dank, bronnen & verantwoording

Dit boek was nooit geschreven zonder mijn ervaringen bij Nationale-Nederlanden met twee 'dikke' woekerpolissen en de correspondentie die ik sinds 2004 met 'Rotterdam' mocht voeren, een gekmakende ervaring waarin ik, half bedolven onder een papierberg, steeds meer plezier begon te krijgen. Hartelijk dank hiervoor. Zo kon ik mij in zes jaar omscholen tot deskundige op financieel gebied en het kafkaiaanse gedrag van verzekeraars.

Dit boek was nooit uitgekomen zonder het vertrouwen van mijn uitgever, Marie-Anne van Wijnen, bij wie ik toch vooral bekendstond als sportschrijver, zoals u weet over het algemeen domme jongens en meisjes, heel vaak blond en niet zelden getooid met oranje sjaals, mutsen of truien in alle kleuren van de regenboog. Misschien spreekt het in mijn voordeel dat ik een hekel heb gekregen aan al die 'groot geschreven' sportlieden met tot goddelijke proporties opgepompte imago's, evenals trouwens aan hun scheppers.

De naam 'woekerpolisaffaire' is bedacht door Antoinette Hertsenberg en haar kompanen bij *Tros Radar* die door bleven zoeken in wat een beerput blijkt te zijn. 'Moeder' Antoinette van de consumentenprogramma's, hoe kan ik je danken? En dan helemaal vooraan in de lijst van diepe buigingen ook mijn 'meelezers', Egbert Berkhoff uit Santpoort en Jos Graas uit het nietige Ee. Evenals experts als Hendrik Jan Bos, Erwin Bosman, René Graafsma, Errol Keyner, Peter Post en Anton Weenink hebben zij mij behoed voor valpartijen. Ik moet ook 'hartelijk dank' zeggen, voor hun vertrouwen, tegen de tientallen door mij geïnterviewde personen. Onder wie ook kroongetuigen die niet met naam en toenaam vermeld wilden worden, maar mij wel de weg wezen in de doolhof van de verzekeringssector, zoals is gebleken: een reis naar het einde van de nacht.

En dan is er de lijst van bronnen van journalisten en schrijvers die voor mij vele kastanjes uit het vuur hebben gesleept. Ik noem ze in willekeurige volgorde: *De Telegraaf* (met name Bart Mos, die in 2004 mijn dossier over Nationale-Nederlanden kreeg toegestuurd en overigens nooit meer heeft teruggezonden), *de Volkskrant, HP/De Tijd, De Groene Amsterdammer, De Actuaris,* Cees Roelofs met zijn boek *Schijnwerper op het bedrog van Legio Lease en de rol van onze rechtspraak, Het Financieele Dagblad, F.inc,* verzekeringsmagazine *AM, De Pers,* NRC *next, Trouw, FiscAlert, Villamedia, Cash, Quote,* website De Gezonde Roker (Theo van Gogh), Naomi Kleins *De Shockdoctrine,* het rapport *Koopsommen en premiestortingen een goudmijn, maar voor wie?* (A. Boot, P. van Oyen en P. van Hasselt), diverse websites zoals die van de AFM, de Consumentenbond, Wikipedia, het ministerie van Financiën, Sociale Databank Nederland, het Verbond van Verzekeraars, de Consumentenbond, Verliespolis, Woekerpolis Claim, Foppolis, VVP, de onderzoeksrapporten van de commissie-De Ruiter en de AFM, de aanbeveling van Jan Wolter Wabeke op de website van het Kifid.

Register